まるわかり！ChatGPT【チャットジーピーティー】最強活用術&超仕事術

［著］ChatGPT特命研究班

電波社

目次

Contents

Chapter 3 ChatGPTに文章を作成・編集してもらおう

目次

Chapter 4 ChatGPTで作業を効率化しよう

Chapter 5 スマホやChrome拡張機能を活用してみよう

「ChatGPT」とは？

「ChatGPT」は、OpenAIが開発した人工知能モデルの一つで、自然言語処理（NLP）タスクを実行するために設計されたものです。ChatGPTは、GPT（Generative Pre-trained Transformer）アーキテクチャに基づいており、大規模なテキストデータセットを使用してトレーニングされています。

ChatGPTは、テキストベースの対話システムを構築するために使用できるツールの一つとして利用されます。ユーザーがテキストで質問をしたり、対話を行ったりする際に、適切な回答や応答を生成することができます。ChatGPTは、カスタマーサポート、情報提供、質問応答、テキスト生成、言語理解など、さまざまなアプリケーションで使用されています。

「ChatGPT」は、オープンソースプロジェクトであるため、開発者は独自のアプリケーションやサービスに統合することができます。また、ChatGPTは日本語を含む多言語に対応しており、異なる言語での対話も可能です。

付録 そのほかの生成AIについて知ろう

本書をご利用になる前に必ずお読みください

●本書はWindows 11、iOS 16.5（iPhone 14 Pro Max)、Android 13（Xperia 10 IV）にて動作の検証を行っております。ご利用時には内容が異なる可能性がございますことをご了承ください。

●本書に掲載されている各ソフトウェアやサービス、アプリのデータは、2023年9月の本書執筆時点における情報です。したがって、バージョンアップや仕様変更、アプリ名の改変などによって、本書掲載の情報と実際の情報が違っている場合、本書掲載の情報の通りにご利用いただけない場合がございますので、あらかじめご了承ください。すべての環境での動作を保証するものではありません。

●App Store ／ Playストアに登録されているアプリは、予告なく削除される場合があります。そのため、本書掲載のアプリの中には、すでにApp Store ／ Playストア上から削除され、利用できなくなっているものが含まれている可能性がございます。

また、App Store ／ Playストアでは、アプリ提供者が各アプリの価格を変更できるため、本書におきまして「無料アプリ」として掲載されているものが、有料に変更されている可能性があります。アプリのインストールは、その内容をよくご確認のうえ、別途定められているApp Store ／ Playストアの規約にしたがって、自己の責任の下で実行してください。本書編集部では、本書を利用した結果として生じるいかなる損害につきましても、その責任を負わないものとします。

●以上の点を踏まえまして、本書の掲載内容についてお問い合わせがございましたら、本書編集部のメールアドレス（edit1@cosmicpub.jp）まで、電子メールにてご連絡いただければ幸いです。

なお、お電話でのご質問は、一切お受け致しておりません。ご了承ください。

Chapter 1

ChatGPTについて知ろう

1 ChatGPTとは?
2 ChatGPTでできることとは?
3 ChatGPTのプランとは?
4 ChatGPTで利用できる言語モデルとは?
5 ChatGPTのセキュリティは大丈夫?
6 ChatGPTが学習したデータとは?
7 誤った情報が生成されることがある?
8 権利侵害に注意しよう
9 ChatGPTの利用登録をしよう
ステップアップ ChatGPTのAPIキーを取得しよう

1 ChatGPTとは?

ChatGPTは、2022年に登場したAIチャットサービスです。
人間のように自然な対話ができる性能の高さから、世界中で大きな関心を集めています。

ChatGPTとは?

ChatGPTは、チャット画面でAIと自然な対話ができるサービスです。膨大な量の情報を学習しており、複雑な言い回しや語彙の豊富さで人間と変わらないやり取りを可能としています。使い方もAIとのチャット画面にショートメッセージやLINEのトークをするときのような感覚で文字を入力するだけで、誰でも簡単に使えます。

文章生成AI「ChatGPT」は、OpenAI社によって開発され、2022年11月に公開されるやいなや、瞬く間にユーザー数を増やし、リリースからわずか5日で、ユーザー数は全世界で100万人を突破、2023年1月には、月間アクティブユーザー数が1億人を超えたと言われています。2022年夏に公開されて話題になった画像生成AI「Midjourney」や「Stable Diffusion」に始まった生成系AIブームを牽引するサービスとして、世界的に認識されて大きな関心を集めている存在です。日本語でも使えるので、日本国内でも

好意的に受け入れられる傾向にあります。

ChatGPTは簡単に言うと、話し言葉や書き言葉といった人間の言語（自然言語）を分析・処理して、人間の言語で出力できるAI技術が使われているサービスです。Sec.04で説明する「GPT」やその後継の「GPT-2」「GPT-3」は、AIを組み込んだサービス開発者向けのAPIなどでの提供だったため、一般ユーザーは利用が難しいものでした。

しかし、ChatGPTでは、それらの改良版である「GPT-3.5」または「GPT-4」という言語モデルが使われていることに加え、一般ユーザーが利用できる形でリリースされたため、一気に知名度を上げました。

2023年9月の段階では無料で公開されており、複雑な設定をすることなく、いつでも気軽にChatGPTをためすことができます。

ユーザー

ChatGPTって何？

ChatGPTは、OpenAI社が開発した大規模な自然言語処理AIです。人工知能の一種で、文章を読み取ったり、会話を行ったりすることができます。

ChatGPT

これまでのチャットボットとはどう違うの？

これまでにも、質問をしたらAIが内容を判断して自動的に返信をしてくれる自動会話プログラム「チャットボット」が、企業のホームページやLINEの一部のアカウントなどに導入されてきました。チャットボットの場合、ユーザーが入力した内容に含まれる特定の語句を認識させたり、想定される選択肢を提示したりして、徐々に質問を絞り込んで回答するというのが代表的なしくみです。あくまでも、事前に作成されたシナリオに沿った質問や回答しかできないため、「よくある質問」などの定型的な問い合わせへの回答によく利用されています。

一方で、ChatGPTはチャットボットにAI技術を取り入れることで、自然な日本語の回答を可能にしています。高性能な返答ができ、文章作成も可能なので、ChatGPTの技術を応用したカスタマーサービスを開発・提供している企業も登場しています。

2 ChatGPTでできることとは？

ChatGPTは、質問への回答や文章の生成など、「言葉」に関するさまざまなタスクをこなすことができます。ここでは、ChatGPTができることの一例を紹介します。

ChatGPTでできること

質問に答える

ChatGPTはさまざまな情報を学習しているため、多種多様なジャンルの質問に回答することができます。これまでは検索エンジンを使用してキーワード検索を行い、さまざまな情報を辿って答えを導き出していました。しかし、ChatGPTに検索したい内容を投げかければ、正確な情報をすばやく知ることができるようになります（ただしChatGPTが学習しているデータは2021年9月までの情報止まり）。今後は検索エンジンとChatGPTを臨機応変に使い分けた活用が見られるかもしれません。

対話

ChatGPTは、「暇だからおもしろい話を聞かせて」といった雑談、「父の日に何をプレゼントしようかな」といった悩み相談などにも答えてくれます。

文章の生成

「海をテーマにしたポエムを作って」「地球温暖化についてのあなたの考えを述べて」などと入力すると、要望通りの文章が返ってきます。また、ビジネスメールの返信内容の考案、記事のライティング、試験問題の作成なども理論的には可能です。

アドバイス、アイデア出し

「執筆中の小説についてアドバイスがほしい」とお願いし、あらすじや登場人物といった詳しい情報を入力すると、ストーリーの展開やテンポなどに対するアドバイスが返ってきます。また、企画やデザインの概要を説明して、創作のきっかけになるようなアイデアを求めることもできます。

文章の要約

ネットニュースの記事、論文などの長い文章を要約させることも可能です。また、ChatGPTの返答内容が難しく感じた場合、たとえば、「中学生（小学生）でもわかるように説明し直して」とお願いし、かみ砕いた文章に修正してもらうこともできます。

各言語の翻訳

ChatGPTでは日本語はもちろん、英語、フランス語、ドイツ語、スペイン語、イタリア語、ポルトガル語、ロシア語、アラビア語、中国語、韓国語などにも対応しており、各言語の文章を別の言語に翻訳することができます。

プログラミング

正確性が求められるうえに、時間とコストが大幅にかかるプログラミング業務も、ChatGPTにプログラムを作成してもらったり、コードレビューや改善の依頼をしたりなどができます。業務の効率化だけでなく、人為的なミスを防ぐことにも効果的でしょう。

作業の効率化、自動化

ChatGPTをカスタマー業務に導入することで顧客対応を効率化したり、Excelなどでのテンプレート作成を自動化したりなど、人手不足に悩む企業でも役に立ちます。

ここで紹介した活用例は、ほんの一部に過ぎません。さまざまな入力をためしてみて、ChatGPTのポテンシャルの高さを実感してみてください。ただし、ChatGPTには一部苦手な作業もあります。詳しくはSec.07を参照してください。

ChatGPT は「言葉」に関する表現が得意

3 ChatGPTのプランとは?

ChatGPTは無料の「フリープラン」と、有料の「ChatGPT Plus」「ChatGPT Enterprise」の3つのプランを利用できます。各プランの違いを覚えておきましょう。

ChatGPTの3つのプラン

ChatGPTは、アカウント登録のみ（無料）で一通りの機能を利用することができます。アカウント登録すると無料版の「フリープラン」からスタートとなるため、多くのユーザーがフリープランを利用していることでしょう。

しかし、最近ではChatGPTの利用ユーザー数増加に伴ってアクセスが集中し、入力画面が表示されなかったり、応答速度が遅くなったりするなどのケースが多々見られるようになりました。

そうした背景もあり、ChatGPTの有料版である「ChatGPT Plus」がOpenAI社から発表されました。

ChatGPT Plusは月額20ドル（2023年9月時点の日本円で約2,900円）のサブスクリプションプランで、最大の特徴は最新の言語モデル「GPT-4」を利用できることです。GPT-4についての詳細はSec.04にて説明しますが、フリープランで使われている「GPT-3.5」よりもさらに回答の正確性が高まったと言われています。

また、GPT-4が使えること以外のChatGPT Plusを利用するメリットは、おもに次の2つです。

プラン	無料版 （フリープラン）	有料版 （ChatGPT Plus）
料金	無料	月額20ドル （約2,900円）
言語モデル	GPT-3.5	GPT-3.5 GPT-4
特徴	・標準的な応答速度 ・定期的なモデルの更新	・応答速度の高速化 ・ベータ機能への早期アクセス

1つ目は、接続のスムーズさです。前述の通り、ChatGPTのユーザー数増加の影響で、時間帯によってはアクセス数が集中し、接続が遅くなったり、応答速度が遅く回答をなかなか得られなかったりすることもあります。ChatGPT Plusでは、そうしたピークタイムでも優先的に接続が可能で、常にストレスフリーな状態でChatGPTを利用できます。

2つ目は、ベータ機能への早期アクセスです。新機能が登場した際、ChatGPT Plusに加入しているユーザーはいち早く使用できます。2023年9月時点では、「Code Interpreter」(プログラミングコードを生成・実行する機能)と「Plugins」(サードパーティ製のプラグイン)が公開されています(詳細はP.19COLUMN参照)。

これらのメリットを踏まえると、ビジネスなどで日常的にChatGPTの使用を考えている場合は、高性能で快適に利用できるChatGPT Plusに加入するべきと言えます。

そして、「ChatGPT Enterprise」は2023年8月末に一般提供開始された企業向けプランです。ChatGPT PlusでGPT-4を使う場合、3時間ごとに50メッセージまでという制限がありますが、ChatGPT Enterpriseでは無制限となり、さらに企業データはGPTのトレーニングには使用されないという利点があります。

有料版の利用

ChatGPT Plusを利用するには、ChatGPTのサイトからの申し込みが必要です。Sec.09を参考にChatGPTのアカウントを登録し、画面左下のメニューから<Upgrade to Plus(下写真左)>→<Upgrade Plan(下写真右)>の順にクリックします。メールアドレスと支払い(クレジットカード)情報を入力して、申し込みがすべて完了すると、すぐにChatGPT Plusの利用が開始されます。

ChatGPT Enterpriseの利用は、OpenAI社の営業チームへ問い合わせを行って申し込みをします。価格は非公開となっていますが、企業規模や従業員数、必要な機能に応じて変動するとされています。

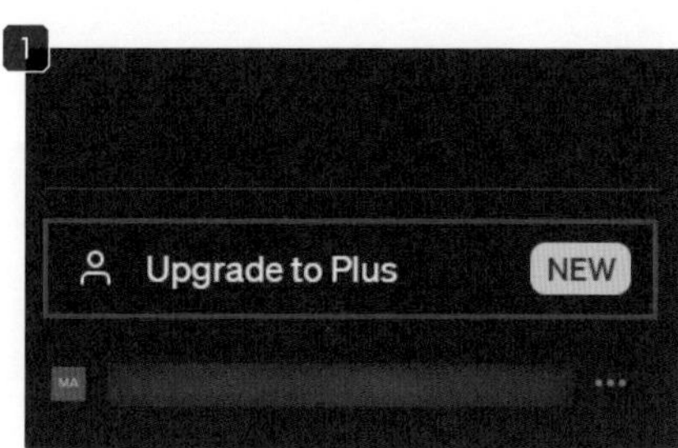

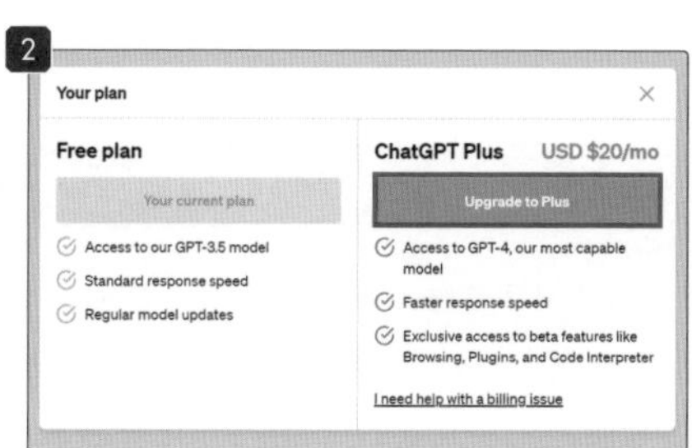

4 ChatGPTで利用できる言語モデルとは?

ChatGPTは、言語モデルの「GPT-3.5」が使われています。GPT-3.5も優秀な働きを見せますが、有料版(ChatGPT Plus)ではより高性能な「GPT-4」を利用できます。

GPTとは?

ChatGPTの「GPT」とは、「Generative Pre-trained Transformer」を略した言語モデルです。Generativeは生成的、Pre-trainedは事前学習済み、Transformerは深層学習(ディープラーニング)の手法の1つで、自然言語処理に関する手法のことを意味しています。与えられた質問に対し、学習済みの無数の情報から最適解を導き出して、わかりやすい文章で回答する、という技術がGPTに使われています。

GPTは2018年に初めて発表され、その後2019年にGPT-2、2020年にGPT-3、2022年にGPT-3.5、2023年にGPT-4とバージョンアップされてきました。

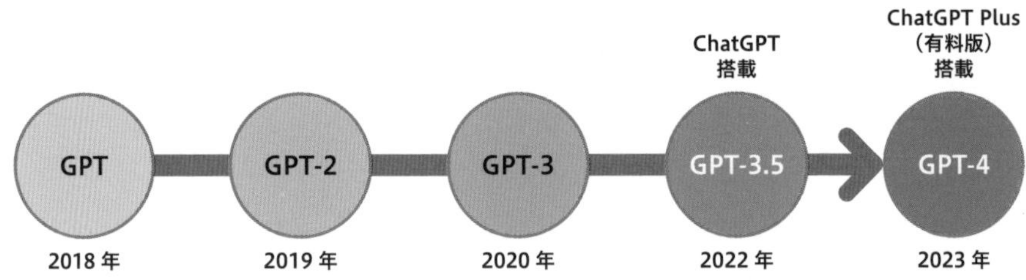

GPT-3.5、GPT-4とは?

ChatGPTでは、おもに「GPT-3.5」が使われています。GPT-3.5は2022年に発表された言語モデルで、「GPT-3」をベースとして開発されました。そして、さらなる高性能な最新モデルとして2023年に発表されたのが、「GPT-4」です。 OpenAI社による

GPT-4の発表記事では、「GPT-4はGPT-3.5よりもはるかに創造的で信頼性が高く、より細かい指示に対応できる」と紹介されています。

ChatGPTを実際に使ってみるとわかるように、GPT-3.5も十分優れていると感じるユーザーがほとんどですが、一部では「処理が遅い」「的外れな回答が多い」などとも言われていました。しかし、GPT-4ではそれらが大きく改善されています。GPT-3.5とGPT4では、簡単な質疑応答においては大きな違いは見られませんが、質問内容が複雑であるほど性能の差がわかりやすくなります。

実際、GPT-3.5にアメリカの模擬司法試験を受けさせたところ、受験者の下位10%前後のスコアしかありませんでしたが、GPT-4は上位10%のスコアで合格することができるようになったと言います。また、GPT-3.5では約5,000文字の処理性能だったのに対し、GPT-4では約25,000文字を処理できるようになりました（トークン）。そのため、GPT-3.5よりも長文を分析・出力することが可能になったのです。

さらにGPT-4では、文字だけではなく写真や画像の入力にも対応しています（マルチモーダル）。言語化しづらい質問や指示を、写真や画像、スクリーンショット、図などで入力し、それらについて解析・説明させるという使い方ができるようになりました。ただし、画像解析については2023年9月時点ではまだ研究段階であり、ChatGPTでは利用できません。

GPT-4を利用したい場合は、ChatGPTの有料版である「ChatGPT Plus」に加入する必要があります（Sec.03参照）。また、Microsoft社が提供している検索エンジン「Bing」にも、GPT-4をベースにしたAIが採用されています。Bingは無料で利用できるため、気軽にためしてみましょう（Sec.55参照）。

モデル	GPT-3.5	GPT-4
機能	・文字入力による文章の生成	・文字入力による文章の生成 ・画像入力による文章の生成※
トークン数（単語や句などの最小単位）	2,048個（約5,000文字）	32,768個（約25,000文字）
利用方法	・ChatGPT ・OpenAI社が提供するAPI	・ChatGPT Plus（有料版） ・OpenAI社が提供するAPI ・Microsoft Bing

※ChatGPTでは利用不可

5 ChatGPTのセキュリティは大丈夫？

ChatGPTには個人情報や利用履歴などのデータが残りますが、OpenAI社ではそれらを守るために高いレベルのセキュリティ対策を講じています。

OpenAI社の個人情報管理

ChatGPTを利用する際には、メールアドレスや電話番号、名前などの登録が必要になります。そして、ChatGPTとやり取りした内容は、履歴としてデータが残ります。こういった個人の情報は、どのように扱われるのでしょうか。

OpenAI社では、ChatGPTの利用にあたって収集される個人情報について、厳密なプライバシーポリシーを策定しています。しかし、セキュリティ上のリスクを完全にゼロにすることはできません。実際、2023年3月にChatGPT Plusユーザーの一部の個人情報が漏えいしてしまった問題が起こりました。

個人情報を守るためには、ChatGPTを利用するユーザー自身も、セキュリティ意識を高めて適切な対策を講じていくことが重要と言えます。ChatGPTを利用する際の注意点については、P.20を参照してください。

ChatGPT のセキュリティ対策

データセキュリティの確保

暗号化された通信プロトコルを使用して、ユーザーとのやり取りを行います。

システム監視

ChatGPT の動作を常にチェックし、異常な振る舞いを検出するためのツールを使用しています。また、ChatGPT によって収集・処理されたデータは、厳密な監視のもとで管理されます。

定期的なセキュリティ更新

ChatGPT を定期的に更新し、システムのアップデートやパッチを適用することで、常に最新のセキュリティを保っています。

定期的なセキュリティ評価

ChatGPT のセキュリティについて定期的に評価を実施し、問題がある場合は適切な措置を講じています。

6 ChatGPTが学習したデータとは?

ChatGPTは大規模なWebページや書籍、論文など、膨大な量のデータを読み込んで、さまざまなパターンの回答ができるよう学習しています。

大量のデータを読み込み学習している

ChatGPTはさまざまなトピックやジャンルのWebページ、書籍、論文、ニュース記事といった大量のテキストデータを読み込み、学習しています。

学習のために読み込んだそれらのテキストデータを分析し、その中に存在する言語パターンや文脈を理解します。これにより、ChatGPTは質問や会話に対して適切な回答や応答を生成することができます。

ただし、大量のデータから学習するため、その生成結果には元のWebページやコンテンツに含まれていた情報や偏りがそのまま反映されてしまう可能性も十分にあります。したがって、引用元のデータの内容や品質が、ChatGPTの応答の質に影響を与える要素となっていることも十分留意しておきましょう。

なお、OpenAI社はオープンなインターネット上のWebサイトからはデータを収集せず、事前に収集された大量のWebサイトなどのデータを使用したとしています（具体的なデータの詳細や収集元は非公開）。また、データの一部にはフィルタリングや修正が行われ、一部の不適切な内容や偏りを軽減するための努力もされています。

COLUMN

ChatGPTはどうやって文章を作っているの?

ChatGPTはユーザーから質問や指示を受けると、学習した大量のデータの中から、「もっともらしい答え」を確率的に予測し、それらをつなぎ合わせる形で文章を生成して回答します。言葉の意味は理解していません。それを証拠に、質問や指示があるたびに文章の生成を行うため、同じ内容の質問を何度かしていると、まったく異なる内容の文章が返ってくることもあります。

7 誤った情報が生成されることがある？

ChatGPTは古い情報や不正確な情報を生成してしまうことがあります。そのリスクをしっかりと認識し、補助やアイデアのヒント出しとして利用するのがおすすめです。

情報の「正確さ」は保証されていない

ChatGPTでは、一見それらしい文章が生成されますが、実際には間違った情報が混在していることが多々あります。これは、読み込み学習に用いられたテキストコンテンツがフェイクニュースなど意図的に誤りのあるデータだったり、SF小説のようなフィクションの創作物だったりすると、それをもとに回答を生成するため、おのずと誤りのある情報になってしまうからです。

そもそもChatGPTは膨大な学習データから得た情報を蓄積しているだけで、直接的に内容を理解していません。与えられた質問や指示に対し、確率的な予測を行い、それらを組み合わせて回答を生成しています。そのため誤った情報が生成される可能性は避けられないことであり、そのリスクを考慮した上で利用すべきサービスと言えるでしょう。現時点では生成された情報のファクトチェックは必ず行うようにし、「情報収集ツール」としては利用せずに「補助ツール」として利用する、またはアイデアのヒントをもらう、というような使い方をするのがベストな活用方法です。

トップページで誤情報を生成する可能性についてアナウンス

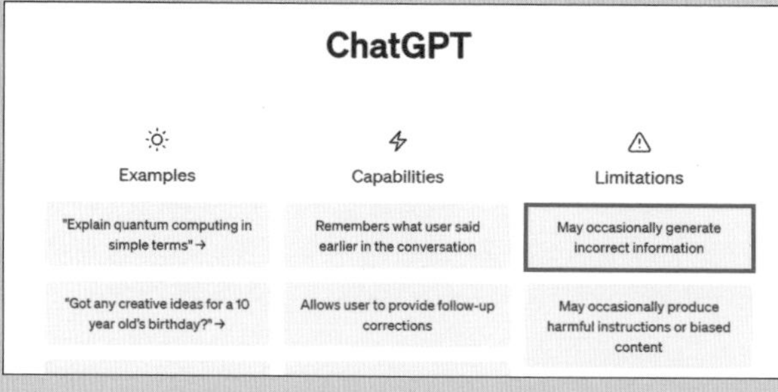

サービス当初のトップページには「Limitations：May occasionally generate incorrect information」（制限：時折誤った情報を生成する可能性があります）と記載されていました（現在はこの表示はありません）。

生成される情報が古いことがある

ChatGPTに「現在の日本の総理大臣は？」と質問すると、「私の知識のカットオフ日である2021年9月時点では菅義偉氏でした。私の情報は現在の出来事に対して最新ではないため、最新の情報を確認するためには信頼できるニュースソースを参照することが重要です」と返答されてしまいます。これは、ベースとなっているGPT-3.5とGPT-4が、2021年9月に読み込み学習を終えていることが原因です。よってChatGPTで生成される情報は、2021年10月以降の情報は反映されずにこのような回答が返ってきてしまうのです。

また、最新の情報だけでなく、やや古い情報にも対応していません。たとえば、「1995年に日本で最も売れた曲は？」と質問すると、「中森明菜の「DESIRE -情熱-」です」と誤った情報が返ってきます（正しくはDREAMS COME TRUEの「LOVE LOVE LOVE」）。

つまり、学習している時期の情報を中心に学ぶことはできているのかもしれませんが、それ以外の時代の情報まではカバーしきれていない、というのが現状です。

COLUMN

プラグインによって最新情報に対応

2023年5月、サブスクリプション版のChatGPT Plus（Sec.03参照）ユーザー向けに、ベータ版プラグイン機能「ChatGPT plugins」（https://openai.com/blog/chatgpt-plugins）の提供が開始されました。ChatGPT Plusユーザーであれば、サードパーティ製のプラグインを追加料金なしで利用することができます。

これまでは2021年10月以降の情報は返ってきませんでしたが、Webブラウジングのプラグインを利用すると、インターネット上の情報を読み取ることができるため、最新の情報で回答が生成されるようになります。また、サードパーティ製のプラグインでは、各プラグインと接続しているサービスの情報が学習されており、それぞれのサービスに特化した回答やサポートができるようになりました。なお、サードパーティ製のプラグインは、記事執筆時点（2023年9月）で「食べログ」「Expedia」「Shopify」「Slack」「Zapier」「OpenTable」など800種類以上が用意されています。

ChatGPT plugins
We've implemented initial support for plugins in ChatGPT. Plugins are tools designed specifically for language models with safety as a core principle, and help ChatGPT access up-to-date information, run computations, or use third-party services.

8 権利侵害に注意しよう

ChatGPTは、気軽に利用できてしまう反面、権利の侵害には十分に気を付けなければなりません。また、機密情報や個人情報の入力をしないよう、細心の注意を払いましょう。

機密情報や個人情報は絶対に入力しない

ChatGPTで入力した質問や指示内に、機密情報（企業内の財務や顧客情報、公開が禁止されている情報など）や個人情報（氏名や住所、メールアドレス、など）が含まれていた場合、それが学習データとして取り扱われ、システムの改善に利用される可能性があります。

OpenAI社の利用規約（https://openai.com/policies/terms-of-use）には、「当社は、本サービスのコンテンツ（編集部注：入力および入力に基づいて生成された出力を総称してコンテンツと呼ぶ）を使用して、当社のサービスの開発および改善に役立てることがあります」と、ChatGPTに入力したデータを利用することがあると明記されています。

さらに、プライバシーポリシー（https://openai.com/policies/privacy-policy）にも「お客様が当社のサービスを利用する際、当社は、お客様が当社のサービスに提供する入力、ファイルのアップロード、またはフィードバックに含まれる個人情報（「コンテンツ」）を収集する場合があります」「当社は、個人情報を以下の目的で利用することがあります。本サービスの提供、管理、維持および／または分析のため。当社のサービスを改善し、調査を実施するため。新しいプログラムやサービスを開発するため」とも明記されています。

つまり、ChatGPTで機密情報や個人情報が含まれる質問をした場合、そのデータがサービス改善に利用される可能性があるというのです。

入力情報を学習データとして使用してほしくない場合は、P.26❷の…をクリックし、［Settings］→［Data controls］をクリックして、「Chat History & trainings」のをクリックしてにします。この設定で学習機能がオフになります（ただし、同時にP.27❷のチャットルームも非表示となります）。

また、専用フォーム「Opt Out Request」（https://docs.google.com/forms/d/e/1FAIpQLScrnC-_A7JFs4LbIuzevQ_78hVERlNqqCPCt3d8XqnKOfdRdQ/viewform）にChatGPTアカウントに紐付けられているメールアドレスとOrganization ID、

Organization nameを入力することで、対象外にしてもらう申請ができます。なお、Organization IDとOrganization nameは、OpenAI platformのOrganization settingsページ（https://beta.openai.com/account/org-settings）で確認できます。

生成されたコンテンツの著作権に注意

OpenAI社の利用規約には「お客様が本規約を遵守することを条件として、OpenAIは、出力に対するすべての権利、タイトル、および利益をお客様に譲渡します。これは、本規約を遵守すれば、販売や出版などの商業目的を含むあらゆる目的でコンテンツを使用できることを意味します」とあります。つまり、ChatGPTで生成した情報の権利は、すべてユーザー側に譲渡され、自由に利用できると明記されています。

しかし、ChatGPTにおいての著作権問題として、「そもそも読み込み学習で利用されたデータを無断で利用していること自体が著作権を侵害しているのでは」という意見もあります。たとえばChatGPTに「宇宙人と少年の友情をテーマにした小説を書いて」と入力した場合、もしかしたらすでに発表されている第三者の著作物を無断で引用、要約した情報が出力される可能性がないとは言えません。ChatGPTはあくまで読み込んだデータをもとに情報を生成するため、そのようなことが起こってしまう可能性が充分にあるということを肝に銘じて利用する必要があります。

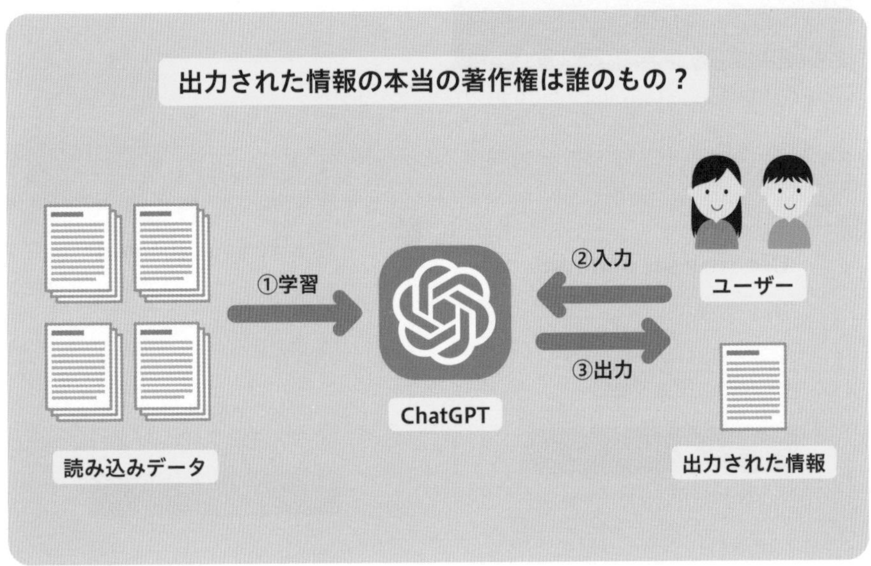

9 ChatGPTの利用登録をしよう

ChatGPTを利用するには、アカウントの登録が必要となります。
登録のためのメールアドレスと携帯電話番号をあらかじめ用意しておきましょう。

アカウントの登録をしよう

ChatGPTは、「Introducing ChatGPT（https://openai.com/blog/chatgpt）」にアクセスし、OpenAI社のアカウントを作成することで、利用を開始できます。なお、ここで作成したアカウントはDALL·E 2（Sec.54参照）など、同社のほかのツールでも利用できます。案内は英語ですが、写真で順を追って説明していきます。

1

Introducing ChatGPT
We've trained a model called ChatGPT which i
in a conversational way. The dialogue format m
possible for ChatGPT to answer followup ques
admit its mistakes, challenge incorrect premis
reject inappropriate requests.
Try ChatGPT ↗ Read about ChatGPT Plus

Webブラウザで「Introducing ChatGPT（https://openai.com/blog/chatgpt）」にアクセスし、<Try ChatGPT>をクリックします。

2

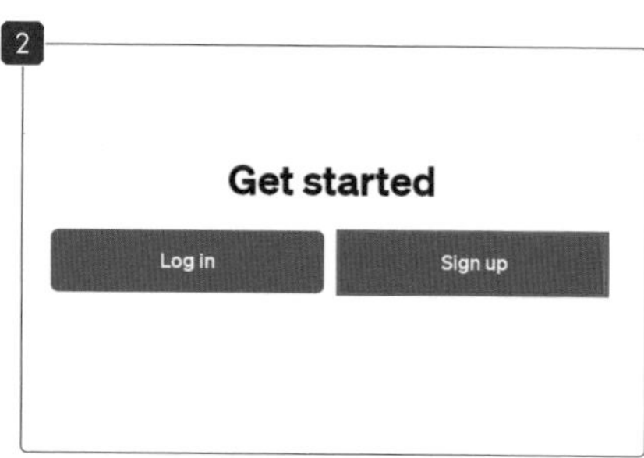

<Sign up>をクリックします。

3

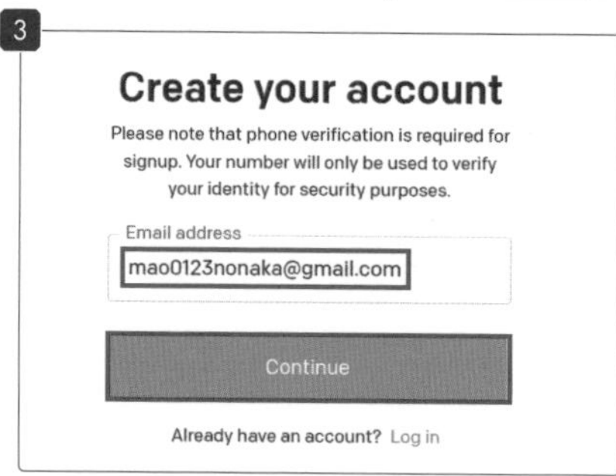

[Email address] にメールアドレスを入力し、<Continue>をクリックします。

4

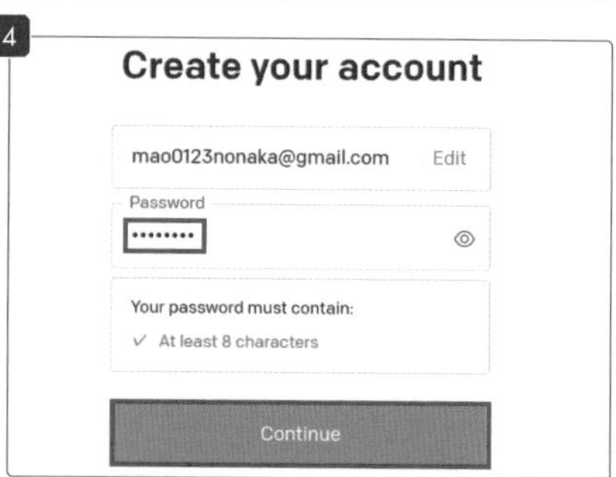

[Password] に8文字以上の任意のパスワードを入力し、<Continue>をクリックします。

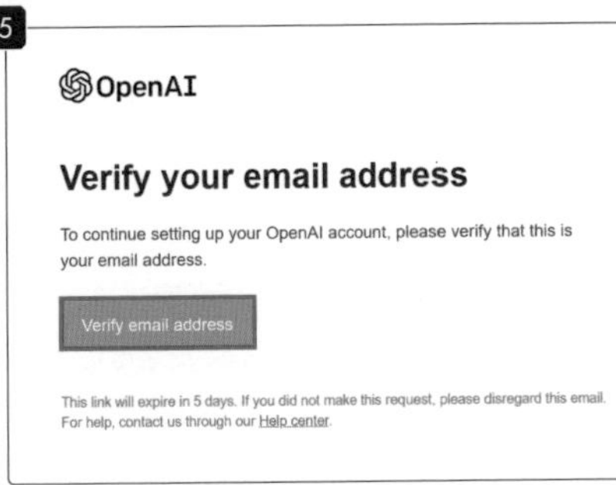

[Verify your email] と画面に表示されたら登録したメールアドレスに認証メールが届くので、メール内の<Verify email address>をクリックします。

[First name] に名前、[Last name] に姓をそれぞれ入力し、登録者の生年月日を入力・設定したら、<Continue>をクリックします。

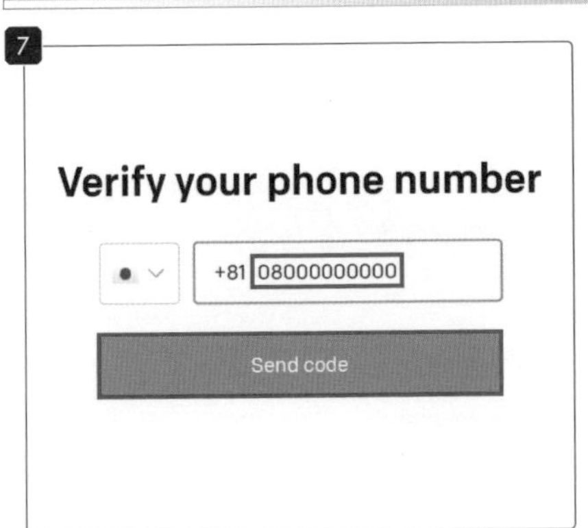

携帯電話番号を入力し、<Send code>をクリックします。

携帯電話番号のSMSで受信した6桁のOpen AI認証コードを入力します。

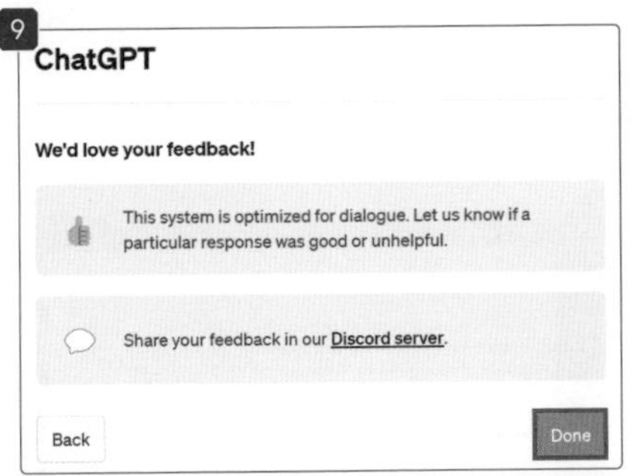

認証コードが認識されると自動的に画面が切り替わります。ChatGPTについての説明が表示されるので、<Next> → <Next> → <Done>の順にクリックします。

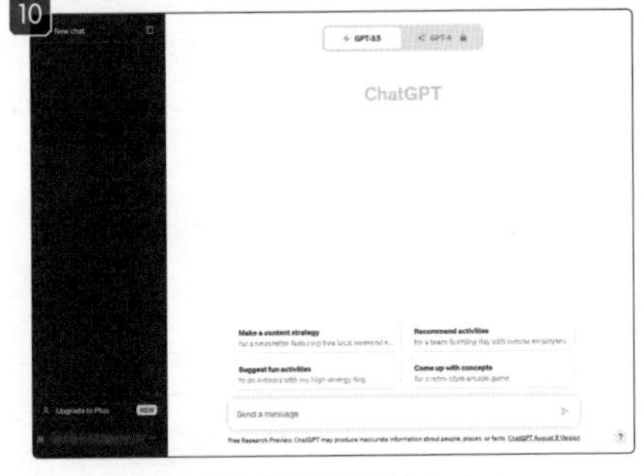

チャットの初期画面が表示されます。

ステップアップ

ChatGPTのAPIキーを取得しよう

ChatGPTを外部システムに組み込んで利用するには、APIキーの取得が必要です。詳細については、OpenAI社のWebサイトやAPIの利用規約を確認してください。

APIキーとは?

ChatGPTは、「API」としても利用することができます。APIとはプログラムを外部のシステムに組み込むためのもので、さまざまなWebサービスやアプリケーションなどでChatGPTの利用が可能になります。

ChatGPT APIを利用するには、OpenAI社のWebサイトから「APIキー」の取得が必要です。なお、APIには無料枠(5ドル、有効期限3ヶ月)がありますが、それを超えると使用量に応じて料金を支払う必要がありますので注意しましょう。

1

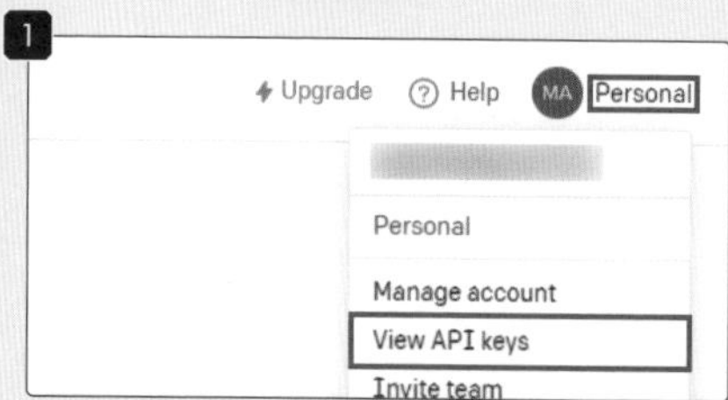

Webブラウザで OpenAI社のWebサイト(https://platform.openai.com)にアクセスし、<Personal>→<View API keys>の順にクリックします。

2

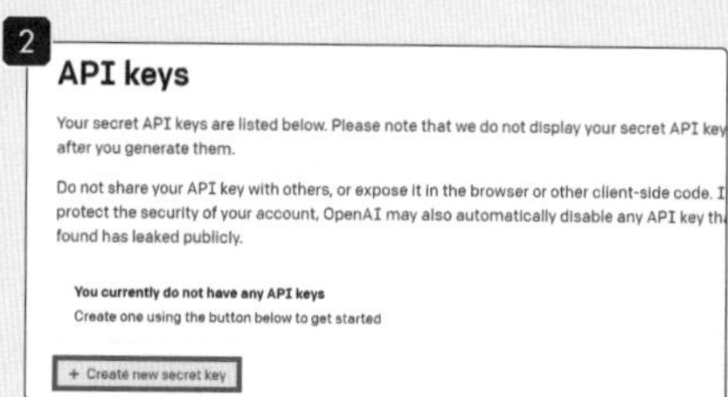

「API keys」画面が表示されます。「You currently do not have any API keys」の下にある<Create new secret key>をクリックします。

3

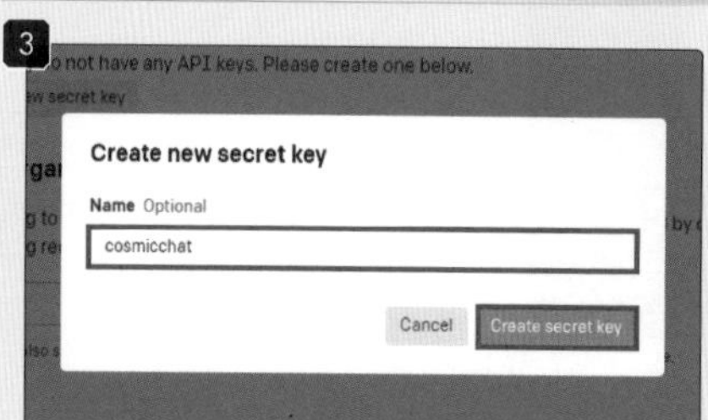

任意のAPIキー名を入力し、<Create secret key>をクリックします。

4

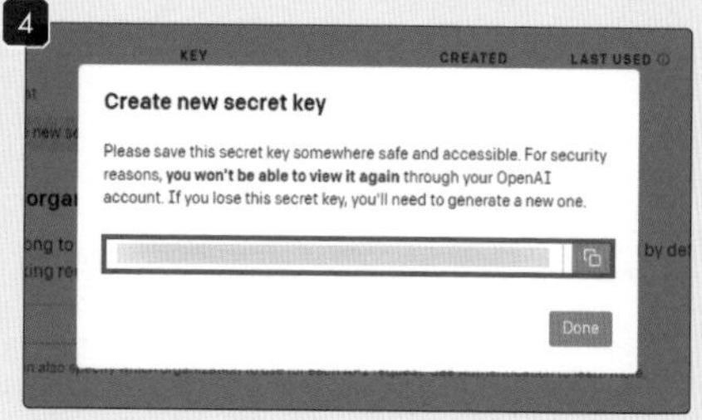

APIキーが生成されます。APIキーの利用方法は、Sec.44を参照してください。

Chapter 2

ChatGPTと話してみよう

10 ChatGPTの画面の見方を知ろう

**アカウントを登録したら、まずはChatGPTの画面の見方を覚えましょう。
利用するうえで、複雑な操作は一切なく、シンプルな作りとなっています。**

チャット画面の見方

アカウントを作成して、ChatGPTにログインしたときや、P.27の＜New chat＞をクリックしたときに、下記のような画面が表示されます。

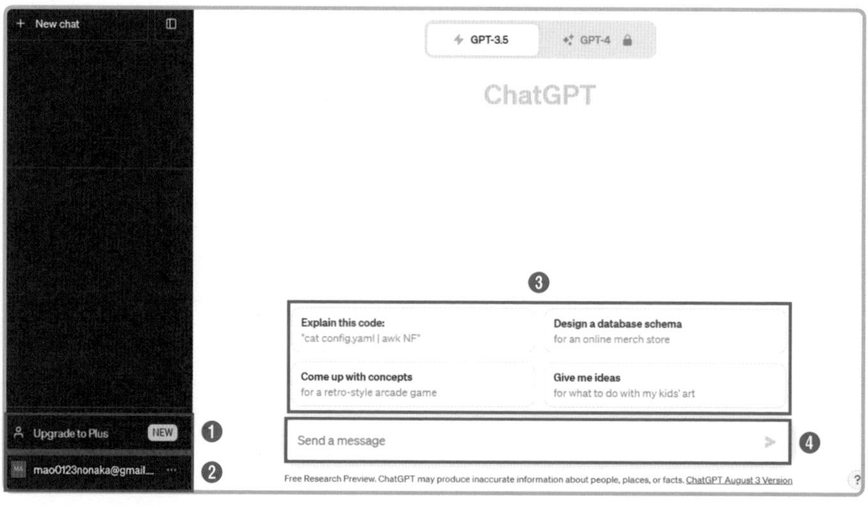

❶Upgrade to Plus	有料版（ChatGPT Plus）の申し込みができます（Sec.03参照）。
❷ユーザー	クリックすると設定画面を表示させたりログアウトしたりすることができます。
❸事例	質問（プロンプト）の例が表示されています。クリックするとプロンプトが送信され、回答が出力されます。
❹入力欄	質問を入力し、▶をクリックまたは Enter を押すと、回答が表示されます。

質問（プロンプト）を入力し、▶をクリックまたは Enter を押すと画面が切り替わります。ChatGPTから回答が得られると、左側のサイドバーにチャットルームごとに会話した内容が自動的に保存されます。繰り返し何度も質問をすることができ、LINEのトークルームのように会話をすることができます。<New chat>をクリックすると、P.26の画面が表示され、新しいチャットルームを作成することができます。

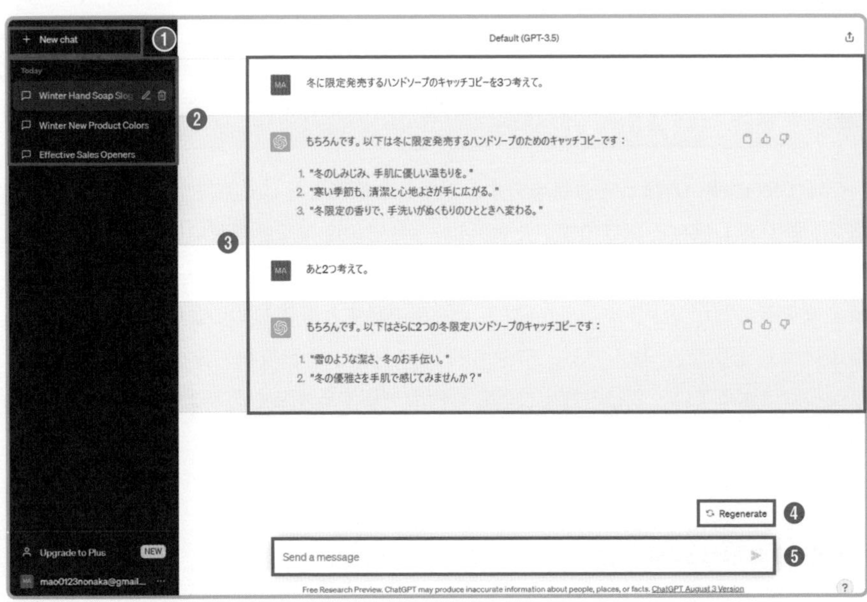

❶New chat	クリックすると、P.26の画面に戻り、新しい質問をすることによって新規のチャットルームを作成することができます。
❷チャットルーム	作成したチャットルームが表示されます。
❸チャット	質問した内容と、ChatGPTからの回答が交互に表示されます。
❹Regenerate	クリックすると、ChatGPTの回答が再作成されます。
❺入力欄	質問を入力し、▶をクリックまたは Enter を押すと、回答が表示されます。

ChatGPTに質問してみよう

ChatGPTは、簡単に言えば、AIとの対話をチャット形式で楽しめるサービスです。基本的になんでも答えてくれるので、気軽に質問してみましょう。

ChatGPTに質問してみよう

ChatGPTの使い方はとても簡単です。入力した質問に対して回答が返ってくるので、質問を繰り返し続けるだけです。たとえば、「今日の晩御飯は何がいいかな？」といった軽い質問から、「プレゼンテーションがうまくできないんだけど…」といった悩み相談まですることができます。ここでは、「人前で話すと緊張してしまいます。どうしたらよいでしょうか。」と入力し、ChatGPTにアドバイスを求めてみました（回答のボリュームによっては、数秒～数十秒ほどの時間を要する場合もあります）。ChatGPTからは、６点アドバイスしてもらえました。

人前で話すと緊張してしまいます。どうしたらよいでしょうか。

人前で話すことに緊張するのは一般的なことです。しかし、いくつかの方法を試して緊張を軽減することができます。以下にいくつかのアドバイスをご紹介します。

1.
練習する: スピーチやプレゼンテーションを行う前に、練習を重ねましょう。自宅や友人の前で話す練習をすることで、自信をつけることができます。

2.
リラックス法を使う: ディープブレスや瞑想、プログレッシブ・マッスル・リラクセーションなど、リラックス法を使って緊張を緩和することができます。事前にリラックス法を練習しておき、スピーチ前に行うと効果的です。

3.
身体を動かす: スピーチの前に軽い運動やストレッチをすると、緊張を解消することができます。また、スピーチ中も立ち姿勢を保つことで自信を持って話すことができます。

4.
目の前の人々と対話する: スピーチをするとき、視線を一点に固定してしまうと緊張が高まることがあります。その代わりに、聴衆の人々と目を合わせ、対話するような感覚で話すと緊張が和らぎます。
5.
肯定的な自己イメージを持つ: スピーチ前に自分自身に対して肯定的なメッセージを送ることが重要です。自分自身を信じ、成功することをイメージすることで、緊張を軽減できます。
6.
経験を積む: 経験が緊張を軽減する一番の方法です。何度もスピーチを行い、経験を積むことで徐々に緊張が減少し、自信をつけることができます。

これらの方法を組み合わせて試してみてください。時間をかけて練習し、経験を積むことで、人前で話すことに対する緊張感を克服することができるでしょう。

ChatGPTの活用方法は、単に質問をしてAIからの回答を得られるだけではありません。自分のことや、身近な出来事などを入力するだけでも、ChatGPTから返答があります。内容に関する感想や情報はもちろんですが、質問を返してくれるので、人との会話と差異なく、ちょっとした日常会話を行うことができます。ここでは、「家族と旅行に行って楽しかった！」と入力したところ、「それは素晴らしいですね！」と返され、それに続いてどこへ行ったかや何をしたかについて質問されました。

MA 家族と旅行に行って楽しかった！

それは素晴らしいですね！家族との旅行は特別な思い出を作る絶好の機会です。どこに行ったのか教えていただけますか？また、どのような活動や体験を楽しんだのでしょうか？

MA 沖縄に行って海で泳いだんだけど、とても綺麗だったよ。

沖縄で海で泳ぐのは本当に素晴らしい経験ですね！沖縄の海は美しいサンゴ礁や豊かな海洋生物で知られています。透明度の高い海水と白い砂浜が広がる景色は、まさに絵画のようです。

泳いだだけでなく、他に何か特別な活動を楽しまれたのでしょうか？沖縄にはシュノーケリングやダイビング、カヤックなど、さまざまな水上アクティビティがあります。それらを体験されたのでしょうか？

また、沖縄の食文化も魅力的ですよね。沖縄そばやゴーヤチャンプルーなどの地元の料理を味わうことができたでしょうか？楽しかった思い出やおすすめの場所や体験があれば、教えていただけると嬉しいです！

12 ChatGPTにわかりやすく解説してもらおう

ChatGPTからの返答がわかりづらかったり、文章中に専門的な用語が使われていたりした場合は、質問の内容を具体的な言葉で指定してChatGPTに聞いてみましょう。

ChatGPTにわかりやすく解説してもらおう

専門的な分野や自分が知らないテーマを調べるときや、それらをほかの人に説明するときには、簡単な言葉を使った解説が必要です。たとえば、「小学生にもわかりやすく」「専門的な言葉を使わないで」「初心者でも理解できるように」などといった言葉を付け加えて質問すると、世間一般で知られている言葉を使用しながら、誰にでもわかりやすいようにかみ砕いて解説してくれます。ここでは、「アルゴリズムについて、小学生でもわかるように説明してください。」と入力してみました。

アルゴリズムについて、小学生でもわかるように説明してください。

もちろんです！アルゴリズムとは、問題を解決するための手順や手法のことです。アルゴリズムは日常生活でも使われており、例えば料理のレシピやゲームのルールなどもアルゴリズムの一種です。

小学生にとって馴染みのある例を挙げると、自転車に乗る方法がアルゴリズムです。自転車に乗るためには、次のような手順が必要です。

1. 自転車のサドルに座る。
2. 両足を地面から離して、ペダルを見つける。
3. 右足を右側のペダルに乗せる。
4. 左足で地面を蹴ってスタートする。
5. 両手でハンドルを握り、バランスを取る。
6. ペダルを踏んで前に進む。
7. もしバランスを崩したら、足を地面について止まる。

この手順を順番に実行することで、自転車に乗ることができます。この手順がアルゴリズムです。

アルゴリズムは、問題を解決するための手順を明確に示すことで、効率的に解決することができます。例えば、数を探すという問題があったとします。その場合のアルゴリズムは次のようになるかもしれません。

1. 最初の数から順番に数を確認する。
2. 探している数と一致する数を見つけたら、見つけたと表示する。
3. 全ての数を確認したが見つからなかった場合は、見つからなかったと表示する。

このアルゴリズムを使うことで、探している数を効率的に見つけることができます。

アルゴリズムは、問題解決やタスクの手順をシンプルに表現するために使われます。小学生でも、身の回りの事象や日常生活の中でアルゴリズムが使われていることに気づくことができます。自分でアルゴリズムを考

質問への回答が抽象的でよくわからなかったり、もう少し内容を深掘りして解説してもらいたい場合は、具体的な例を挙げてもらったり、繰り返し質問したりしてみましょう。何度も聞くことによって、理解が深まります。

ほかに例はありますか？

もちろんです！他にもいくつかアルゴリズムの例を挙げます。

1. お菓子を作る手順:
   - 材料を用意する（小麦粉、砂糖、卵、バターなど）。
   - 材料を混ぜる。
   - 生地を成形する。
   - オーブンで焼く。
   - 冷まして完成！
2. ナンバーゲーム:
   - プレイヤーが1から10までの数を考える。
   - もう一人のプレイヤーが数を予測する。
   - 正解かどうかを確認し、高いか低いかを伝える。
   - 予測が正解になるまで2〜3の手順を繰り返す。
3. バブルソート（数字の並び替えアルゴリズム）:
   - 数字のリストを用意する。
   - リストの隣り合う2つの数字を比べて、順番が逆だったら入れ替える。
   - 全体のリストを繰り返し見て、入れ替えが発生しなくなるまで続ける。

これらの例は、アルゴリズムのさまざまな側面を示しています。問題を解決するための手順や手法を明確に示すことで、効率的に目標を達成することができます。アルゴリズムは、計算機科学やプログラミングの分野で特に重要な役割を果たしていますが、日常生活にも応用できる普遍的な概念です。

13 思い通りの答えを引き出すにはどうしたらいい？

内容は同じでも、質問の仕方を変えるだけで、より効果的な回答を引き出すことができます。この節では、意図した回答を引き出せるようになる方法を解説していきます。

質問の仕方を工夫してみよう

ChatGPTは、膨大な量の情報データを学習し、質問された内容に適した回答を導き出しています。しかしときどき、質問の内容と少しずれているように感じる回答が返ってくることがあります。そのようなときは、回答の文字数を制限したり、質問内容を具体的にしたり、箇条書きにしたりといった方法で、文章を作成してみましょう。これによって、回答の精度や、情報の信ぴょう性を高めることができます。ChatGPTが持つデータ量が多いぶん、こちら側がどのような文章を作成するのかのスキルは、ChatGPTを最大限に活用するうえで重要になってきます。

ホラー映画が見たい。おすすめを教えてほしい。

もちろんです！ホラー映画のおすすめをいくつかご紹介します。以下はいくつかの人気のあるホラー映画です：

1. 「エルム街の悪夢」（A Nightmare on Elm Street）- フレディ・クルーガーという悪夢の中から人々を襲う殺人鬼による恐怖を描いたクラシックなホラー映画です。
2. 「シャイニング」（The Shining）- スティーブン・キングの小説を基にしたスタンリー・キューブリック監督の作品で、孤立したホテルで起こる怪奇現象と主人公の精神的な変貌を描いています。
3. 「エクソシスト」（The Exorcist）- 悪魔憑きの少女を救うために神父が戦う姿を描いた、古典的な悪魔祓いの物語です。
4. 「ハロウィン」（Halloween）- マイケル・マイヤーズというシリアルキラーに追い立てられる女性を中心にした、スリラータッチのホラー映画です。
5. 「ジェイソン」（Friday the 13th）- キャンプ場で次々と若者たちが殺されるという恐怖を描いたシリーズです。

これらはクラシックなホラー映画であり、それぞれが異なる恐怖体験を提供しています。お好みに合ったものを選んで楽しんでください！

具体的で限定的な言葉を付け足した文章を作成するだけで、ChatGPTから得られる回答は大きく異なります。また、回答する対象が絞られることで、目的の情報を見つけやすくなったり、知らなかった情報を得られたりするメリットが出てきます。自分が手に入れたい情報を回答してもらうために、人間側も質問スキルを上げていきましょう。もちろん、一度の入力ですべての条件を詰め込む必要はありません。句読点で文章を区切ったり、何度か質問を繰り返して徐々に内容を狭めたりしてもかまいません。慣れるまで、さまざまな文章を入力して、どんどんためしていくことが大切です。

1990年代に公開されたアメリカのホラー映画で、評価が高い作品を5つ教えてほしい。

1990年代に公開されたアメリカのホラー映画で評価が高い作品を5つご紹介いたします。

1. "サイレンス・オブ・ザ・ランブス"（The Silence of the Lambs, 1991）- アンソニー・ホプキンスが演じたハンニバル・レクター博士と、ジョディ・フォスターが演じたFBIの捜査官の対決を描いた作品です。アカデミー賞を含む多くの賞を受賞し、非常に高い評価を得ています。
2. "セブン"（Se7en, 1995）- デヴィッド・フィンチャー監督の作品で、ブラッド・ピットとモーガン・フリーマンが演じる刑事コンビが、連続殺人犯との心理戦を繰り広げるストーリーです。独特な雰囲気と驚きの結末が評価されています。
3. "シックス・センス"（The Sixth Sense, 1999）- ミステリアスなストーリー展開と衝撃的なトワイストが特徴の作品です。ブルース・ウィリスが演じる心理学者と、ヘイリー・ジョエル・オスメントが演じる少年の関係を中心に描かれています。
4. "ブレア・ウィッチ・プロジェクト"（The Blair Witch Project, 1999）- 手持ちカメラで撮影されたフェイク・ドキュメンタリースタイルの作品で、森の中で行方不明になった学生たちの恐怖を描いています。低予算で制作されながら、大ヒットを記録しました。
5. "スリーピー・ホロウ"（Sleepy Hollow, 1999）- ティム・バートン監督の作品で、ジョニー・デップが主演を務めました。ワシントン・アーヴィングの「睡眠谷の伝説」をベースに、頭のない騎士による恐怖が襲いかかる村を舞台にした作品です。

これらの作品は、1990年代のホラー映画の中でも評価が非常に高い作品です。各作品が異なるアプローチで恐怖を描いており、映画ファンにはおすすめの作品です。

14 役割を与えて答えてもらおう

プロの編集者や一流ビジネスマンなど、ChatGPTに役割を与えてなりきってもらうことで、回答の精度が上がることがあります。実際にやってみましょう。

ChatGPTに役になりきってもらおう

より精度の高い回答を出してもらうために、「あなたは○○です。」と冒頭で役割を与えてから指示を出すという手法があります。たとえば自分で作成した文章をリライトしてもらいたいときには、「あなたはプロの編集者です。」と役割を与えてからリライトしてもらいたい文章を入力します。新規企画について相談したいときには「あなたは数々の新規企画を提案し、すべてにおいて大成功を収めた一流のビジネスマンです。」と役割を与えてから、続けて企画に関する具体的な相談内容を入力します。

また、「○○になりきってください。」と入力し、了承の返事をもらったあと、その役柄であれば的確な答えが得られる可能性が高い質問を入力することでも、より高精度の回答を導きやすくなります。

MA 何十年も会社の経理部を支えてきたベテラン経理部長になりきってください。

もちろんです。何か特定の質問や状況についてお話しできることがありますか？会社の経理部に関することや業務について、お手伝いできる範囲でお答えいたします。

MA 私は飲食店の社員です。ライバル店の視察で発生した飲食代はどのような仕訳をすればよいでしょうか？

了解しました。ライバル店の視察によって発生した飲食代の仕訳についてお伝えいたします。

この場合、飲食代は経費として取り扱われるため、以下のような仕訳を行うことが一般的です。

1. 飲食代の支払い時に行う仕訳：
   借方: 視察経費（経費科目）
   貸方: 現金または銀行口座（資産科目）

ほかにも、具体性のあるユーザー像（ペルソナ）を設定してなりきってもらい、どのような行動をとるのか、どのような商品を手に取るのかというようなマーケティングリサーチを行うことが可能です。たとえば以下では、仕事が忙しい都市部在住の20代後半の独身女性銀行員になりきってもらい、帰りのコンビニでどのような商品を買うのかを聞いてみました。一度の回答だけでなく、何度も質問をして深掘りしてみましょう。

MA

鈴木花子さんになりきってください。

#鈴木花子さんのプロフィール
東京都在住。独身。28歳。銀行員。所有資格は簿記3級。趣味は友達との食べ歩き。好きなものはワイン。最近、将来に不安を感じ、ファイナンシャルプランナー3級の資格取得のため勉強中。

初めまして、鈴木花子と申します。東京都在住の独身、28歳の銀行員です。私は簿記3級の資格を持っており、銀行で働きながら日々業務に取り組んでいます。趣味は友達と一緒に食べ歩きを楽しむことで、新しいお店を開拓するのが大好きです。特にワインが好きで、美味しい料理と一緒に楽しむのが至福のひとときです。

日々の業務や勉強に忙しい日々を送りながらも、友人たちとの楽しい時間や美味しい食事、ワインを楽しむことで、バランスの取れた充実した生活を送っています。これからも努力を惜しまず、夢や目標に向かって進んでいきたいと思っています。どうぞよろしくお願いします。

MA

鈴木花子さん、毎日お仕事お疲れさまです。毎日仕事に忙殺されているようですが、帰りに家の近くのコンビニではどのようなものを買っていますか？

こんばんは。毎日お仕事お疲れ様です。帰りに家の近くのコンビニで買うことがあるものは、晩ごはんや軽食の材料が多いですね。

忙しい日々の中で、たまには手軽に済ませられる食事を求めて、コンビニでお惣菜やサンドイッチ、お弁当を選ぶことがあります。特に疲れている日には、温かいおかゆやお味噌汁などのあったかい料理もありがたいですね。

また、食べるだけでなく、ワイン好きとしては、たまにコンビニでワインを手に取ることもあります。おうちでリラックスしながら、美味しいワインを楽しむのは、日々の疲れを癒す一瞬となります。

忙しいけれど、コンビニの便利さを活用して、美味しい食事やリラックスタイムを作るよう心掛けています。どんなに忙しくても、自分の時間を大切に過ごすことを大事にしていますよ。

15 回答の精度を上げるため ヒントを聞き出してみよう

ChatGPTが答えを導き出すために必要としている情報を聞き出し、それを与えることで、私たちが求めている回答により近づくよう、出力されるようにできます。

必要な情報は何かをヒアリングする

ChatGPTにあやふやな指示をすれば、求めている回答とはほど遠いものが返ってきます。こちらから与える情報が少ない場合、限られた情報の中から回答を生成しなければならないため、精度の低い回答が出力されてしまうケースがあります。

より回答の精度を上げるためには、ChatGPTが必要としている情報を提供してあげると、より求めているものに近い回答が得やすくなります。しかし、どのような情報を与えればよいのか判断が付かない場合もあるかもしれません。そのような場合は、質問の最後に「最高の回答がほしいので、追加の情報が必要であれば質問してください。」「不明な点があったら気軽に質問してください。」といったように、必要としている情報をChatGPTにあえて聞いてしまうという手法があります。

社内イベントを企画してください。最高の回答がほしいので、追加の情報が必要であれば質問してください。

もちろんです！素晴らしい社内イベントのアイデアを提案させていただきます。ただし、参加者の好みや会社の文化に合わせるために、いくつか質問があります。以下の情報を教えていただけますか？

1. イベントの目的は何ですか？（チームビルディング、楽しみ、スキル向上など）
2. 予算範囲はどのくらいですか？
3. 参加予定人数はどのくらいですか？
4. イベントの日時と場所は決まっていますか？
5. 参加者の年齢層や趣味嗜好について教えてください。
6. 以前の社内イベントの成功例や失敗例はありますか？

これらの質問に答えていただければ、より具体的な提案ができるかと思います。お手伝いできることがあればどうぞご遠慮なくお知らせください！

これにより何点か質問項目が提示されたら、こちらも情報を詳細に提供してあげましょう。この繰り返しで、より具体的な精度の高い回答が得やすくなります。提案された内容について、興味のあるものがあればさらに深く質問していきましょう。

ChatGPTの提案にしっくりこなかった場合は、「ほかの提案はありますか？」など、別案を提示してもらいましょう。

MA

以下、追加情報です。

イベントの目的：社員の交流
予算：上限30万円
参加予定人数：50人程度
日時と場所：2023年12月20日、社内大会議室
参加者の年齢層：20代後半～30代後半
趣味嗜好：インドア派が多い
成功例や失敗例：創業が浅いので初めてのイベントになります

ありがとうございます！提供いただいた情報に基づいて、社員の交流を促進する素晴らしい社内イベントのアイデアをいくつか提案させていただきます。

1. **ボードゲームカフェイベント：**
   インドア派の参加者に合わせて、社内大会議室をボードゲームカフェに変身させましょう。さまざまな人気ボードゲームを用意し、参加者が気軽にチームやグループで楽しめるようにします。ボードゲームはチームビルディングにも一役買いますし、コミュニケーションを深めるのにも効果的です。
2. **クリエイティブワークショップ：**
   インドア派向けに、アートやクラフトのワークショップを開催してみてはいかがでしょうか？キャンバスペインティングや手作りクリスマスデコレーションなどのワークショップを企画し、参加者が自分のアイデアを表現しながら交流できる場を提供します。
3. **ミステリーパーティー：**
   初めてのイベントでも盛り上がることができるミステリーパーティーを検討してみてください。テーマに合わせたドレスコードを設定し、参加者がキャラクターに扮して謎解きやロールプレイを楽しむイベントです。チームワーク

レイヤーゲームを選んで、チームや個人で競い合うイベントを楽しんでもらえます。

5. **料理教室＆ディナーパーティー：**
   インドア派ながら食べることが好きな参加者に向けて、料理教室を開催しましょう。シェフや料理人を招いて、参加者が一緒に料理を作りながら交流できる場を提供します。その後、作った料理を皆で楽しむディナーパーティーも行います。

これらのアイデアの中から、社内の雰囲気や参加者の好みに合ったものを選んでみてください。初めてのイベントということで、楽しくて有意義な時間を過ごすことが大切です。イベントの成功を祈っています！

16 いつ新しいチャットルームに切り替えたらいい？

1つのチャットルームでも、連続したチャットのやり取りができますが、新しいルームを作成することで、テーマごとに分けて保存することもできます。

新しい質問をしよう

チャット画面で、<New chat>（P.27参照）をクリックすることで、新しいチャットルームが作成され、また新たな質問ができるようになります。

チャットルームの切り替えは、チャットの話題を変更したいときや、前後のチャットの内容と関連性がない質問をしたいときなどがおすすめです。チャットルームは簡単に作成できるので、ジャンルごとにチャットを使い分けましょう。作成したチャットルームは、サイドバーに履歴として保存されるため、あとから過去のチャットに質問の続きを進めることもできます。

ChatGPTは、過去の質問と回答の内容を記憶しているため、同じテーマについて続けて質問したいのであれば同じチャットルーム内で行ったほうが、過去の内容を参照にした答えを得られるため、求めている回答に辿り着きやすい傾向にあります。

ためしに、チャットルームで続けて質問した場合と新しいチャットルームで質問した場合を比較してみましょう。まずは、新しいチャットルームを作成し、「AIに感情を持たせることはできますか。」と質問をしてみました。

AIに感情を持たせることはできますか。

AIに感情を持たせることは、現時点では困難です。AIは情報処理のためのツールであり、感情や主観的な経験を持つことはありません。AIは大量のデータを解析し、パターンや関係性を見つける能力を持っていますが、それは感情を経験することとは異なります。

ただし、AIには感情を模倣することや、感情的な反応をするようにプログラムすることは可能です。例えば、感情をテキストや音声で表現するための自然言語処理技術や音声合成技術があります。これにより、AIは感情的な返答を生成したり、感情を含んだ声で話すことができます。

ただし、これらの感情表現は、プログラムやアルゴリズムによって制御されており、AI自体が感情を実際に経

次に、AIと人間の違いに関して、繰り返し質問をした流れでP.38と同じ文章を検索した場合のChatGPTからの回答を見てみましょう。どちらも内容に大きな違いはありませんが、会話の流れで自然に質問をしたチャットのほうが、過去の内容に沿った一貫性のある回答になっているという印象です。

ただし、1つのチャットルームでは、英単語で約3,000字程度しか記憶することができません。そのため、適度に新しいチャットルームを作成することを習慣づけましょう。

MA　AIと人間の違いは？

AI（人工知能）と人間の違いにはいくつかの重要な側面があります。

1. 自己意識と意識の有無：現在のAIは、情報の処理や問題解決能力において非常に優れていますが、自己意識や主観的な経験を持っていません。一方、人間は自己認識や主観的な経験を持つ意識体として存在します。
2. 感情と感情の理解：AIは感情を持つことはありません。AIはプログラムによって実行されるため、情報の処理やタスクの実行において客観的な判断を下すことができますが、感情を持つことや感情を理解することはありません。一方、人間は感情を持ち、感情を理解し、それに基づいて行動することがあります。
3. 創造性と想像力：AIはデータやアルゴリズムに基づいて処理を行いますが、創造的な思考や想像力は持ちません。人間は独自のアイデアを生み出し、新たなものを創造することができます。
4. 倫理と道徳：AIはプログラムに基づいて行動し、倫理や道徳に基づいた判断をすることができません。一方、人間は道徳的な価値観や倫理観に基づいて判断し、倫理的な行動を取ることができます。
5. 物理的存在：AIはコンピューターシステムやロボットとして存在しますが、物理的な存在や身体的な制約はありません。人間は肉体を持ち、物理的な世界と関わりながら行動します。

これらは一般的な違いのいくつかですが、AIの技術は進化しており、将来的にはより複雑で高度な特性を持つAIが開発される可能性もあります。しかし、現時点ではAIと人間の間には重要な違いが存在します。

MA　AIに感情を持たせることはできますか。

現在の技術レベルでは、AIに完全な感情を持たせることはできません。感情は主観的な経験であり、個別の意識や主観を伴うものです。AIは情報の処理や学習を行うためのプログラムに基づいて動作しますが、感情を体験することや感情を持つことはありません。

ただし、一部の研究では、AIに感情に関連する要素を模倣する試みが行われています。例えば、自然言語処理においては、文章の感情的なニュアンスを理解するためのモデルが開発されています。また、画像や音声などのデータに対して感情的な解釈を行う試みもあります。

しかし、これらのアプローチは感情を持つ本質的な意味でのAIの感情ではありません。感情は人間の主観

新しいチャットルームを作成しよう

新しいチャットルームの作成は簡単です。ここでは、ほかのチャットルームでやり取りをしている状態から、新しいチャットルームに切り替える方法を解説します。

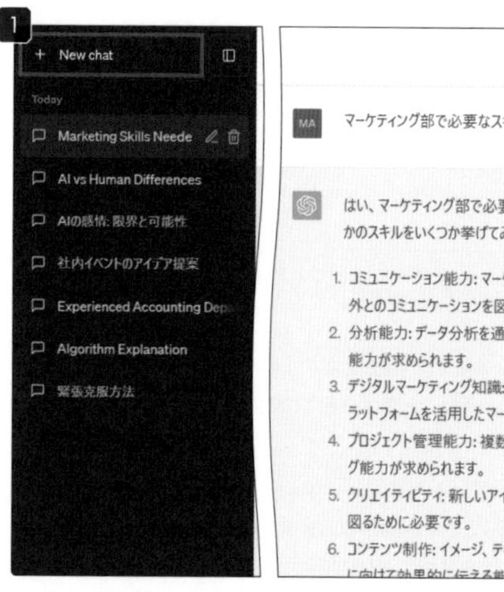

チャット画面を表示し、サイドバーの上部に表示されている<New chat>をクリックします。

新しいチャット画面が表示されるので、画面下部の入力欄に質問を入力し、▶をクリックまたはEnterを押します。

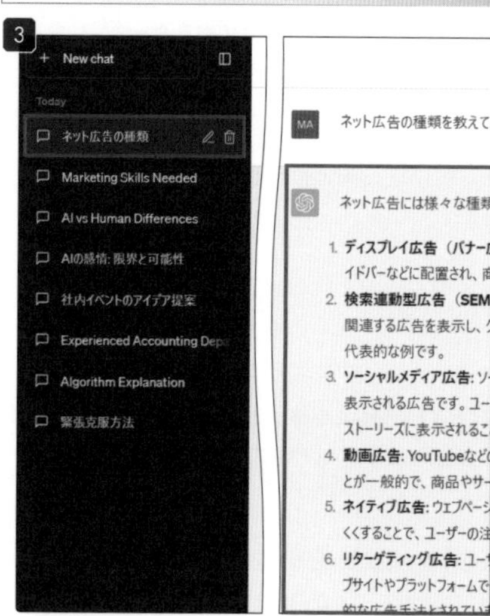

サイドバーに新しいチャットルームが追加されると同時に、ChatGPTからの回答が表示されます。

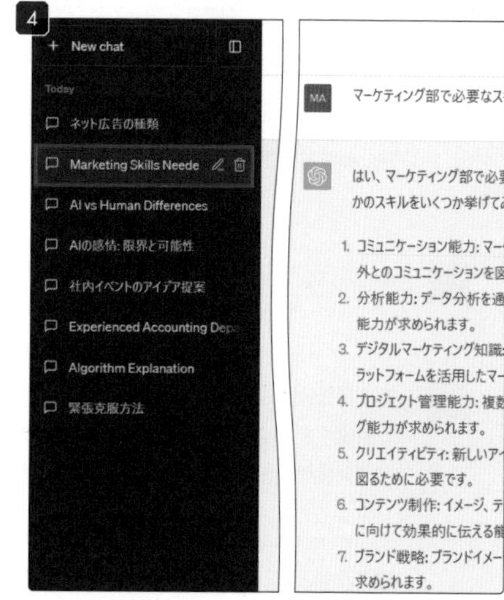

サイドバーの各チャットルームをクリックすると、画面が切り替わり、ほかのチャットのやり取りを閲覧することができます。

Chapter 3

ChatGPTに文章を作成・編集してもらおう

17 メールの文面の下書きを作ってもらおう

メールの文面に盛り込みたい内容を指示すると、メールの下書きを作成できます。不自然な日本語や意図した内容になっていないこともあるので、送信前に必ず確認しましょう。

メール文面の下書きを作成してもらおう

ChatGPTに、作成してほしいメールの内容を指示することで、文面の下書きをあっという間に準備できます。ビジネスメールであれば、いつもの業務にChatGPTを取り入れることで、送る人によって変える文面を考えて作成する手間を省くことができるため、仕事の効率化にもつながります。

ここでは、「取引先に見積書を送付する内容のメールの下書きを作成してください。」と入力し、ChatGPTにメール文面の下書きを依頼してみました。生成された文面には、具体的な名前や内容は記載されていません。必要に応じて、文面を修正したり、不自然な日本語になっていないかを確認したりして送信するようにしましょう。

取引先に見積書を送付する内容のメールの下書きを作成してください。

件名：見積書の送付依頼について

拝啓、〇〇様

いつもお世話になっております。△△株式会社の××と申します。

この度は、弊社製品の見積書をご依頼いただき、誠にありがとうございます。お客様のご要望にお応えし、以下の内容で見積書を作成いたしました。ご確認の程、お願い申し上げます。

【見積書内容】
・製品名：

ご不明な点や修正箇所がございましたら、お気軽にご連絡ください。迅速に対応いたします。

また、ご注文いただける場合は、お手数ですがご返信いただけますようお願いいたします。

何卒よろしくお願い申し上げます。

敬具
△△株式会社
××

また、下図のようにメールに入れたい内容や注意事項などを箇条書きにして入力し、ChatGPTに依頼することで、より詳細なメール文面の下書きを作成してもらえます。ただ、そのほかのコンテンツと同じく、やはり文章が不自然な場合や誤りも見受けられるので、送信前に推敲することが大切となります。

MA

以下の仕様に従って、メールの下書きを作成してください。

・差出人：レイカルート株式会社の野口
・宛先：株式会社オルモスの高橋様
・用件：打ち合わせ日ついてお知らせ
・日時：6月23日火曜日午後13時から
・方法：Web会議のURLを後ほど送る

件名: 打ち合わせ日について

高橋様

いつもお世話になっております。レイカルート株式会社の野口でございます。

この度は、打ち合わせの日程についてご連絡させていただきます。以下の通り、6月23日（火曜日）の午後13時からの打ち合わせを予定しております。

打ち合わせ方法は、Web会議を利用いたします。詳細なURLは、後日改めてお送りいたしますので、お手数ですがご確認いただきますようお願い申し上げます。

ご多忙中とは存じますが、ぜひご都合のよろしい日時でのご参加をお願いいたします。

18 お詫びメールの下書きを作ってもらおう

取引先へメールで謝罪する際に、角が立たないようChatGPTにお詫びメールの下書きを作成してもらいましょう。ここではお詫びの内容を詳細に伝えることが重要になります。

お詫び内容を明確に伝え作成してもらおう

ChatGPTに、取引先やクライアントへ送るお詫びのメールの下書きを作成してもらうことができます。作成してもらう前に、お詫びメールのポイントをChatGPTに確認してみましょう。ChatGPTに「お詫びメールのポイントを教えて。」と聞いたところ、10個のポイントを提示してくれました。

MA お詫びメールのポイントを教えて。

もちろんです。お詫びメールを送る際のポイントを以下に示します。お詫びメールは、誤解やトラブルを解消し、相手に誠意を伝えるための重要な手段です。

1. **明確な表現:** どのような問題が発生したか、何が原因であったかを明確に述べます。曖昧さを避け、事実を伝えましょう。
2. **謝罪の表現:** 相手に対して謝罪の気持ちを伝えることが大切です。誠意ある謝罪文を添えて、相手の気

を送ることで、信頼度が高まります。

10. **二度と繰り返さない意思表示:** 最後に、同じ問題が再発しないような体制や注意を払う意思を示すと良いでしょう。

これらのポイントを踏まえて、相手に誠実な気持ちを伝えるお詫びメールを作成してみてください。

お詫びメールのポイントを確認したら、その内容を踏まえて下書きを作成してもらうための情報を与えましょう。お詫びする事象の明確な内容を入力し、「失礼のないていねいな態度のビジネスメールで」「文章は長過ぎず読みやすいよう簡潔に」「正しい敬語で」など体裁を指定、最後に「同じ問題が再発しないよう体制を整え、注意を払う」「感謝の気持ちを伝える」ことも盛り込むように指示します。なお、出力された下書きは不自然な箇所も見受けられるので、適宜修正してから相手に送信しましょう。

以下の内容でお詫びメールの下書きを作成してください。

#お詫びする相手
A社 ビジネス事業本部 B様

#お詫びする内容
来週、納品予定の商品が納品できなくなった。
生産ラインに障害が発生したことが原因。
納品は再来週にずれ込んでしまう。

#体裁
失礼のない丁寧な態度のビジネスメールでお詫びしたい。
文章は長過ぎず読みやすいよう簡潔にまとめる。
正しい敬語を使う。

#締め
同じ問題が再発しないよう体制を整え、注意を払うことを伝える。
相手への感謝の気持ちを伝える（大げさな表現は避ける）。

件名: 商品納品遅延に関するお詫びとご報告

拝啓、A社 ビジネス事業本部 B様

お世話になっております。誠に勝手ながら、突然のお知らせとなりますが、お取引先のB様におかれましてはますますご健勝のこととお慶び申し上げます。

さて、この度は大変心苦しいお詫びとなりますが、来週予定しておりました商品の納品が、予期せぬ事態により遅れることとなりましたこと、重ねて深くお詫び申し上げます。

生産ラインにおきまして、突発的な障害が発生いたしましたため、予定しておりました納品が困難な状況となりました。お客様のご期待に応えるべく、常に最善の努力を尽くしておりましたが、このような事態となり、大変遺憾でございます。

納品に関しましては、再来週へとスケジュールがずれ込むこととなりますこと、お詫び申し上げます。この遅延により、お客様の業務に支障をきたすこととなり、誠に申し訳ございません。

今回の事態を真摯に受け止め、同様の問題が二度と発生しないよう、再発防止策を徹底的に見直し、体制を整えてまいります。お客様のご信頼にお応えできるよう、更なる努力を重ねてまいります。

最後に、お客様には大変なご迷惑をおかけしましたことを、深くお詫び申し上げます。何卒、ご理解賜りますようお願い申し上げます。何かご不明点やご質問等がございましたら、どうぞお気軽にお知らせください。

お忙しい折、誠に恐縮ではございますが、何卒よろしくお願い申し上げます。

敬具

19 契約書の下書きを作ってもらおう

ChatGPTは、難しい言葉がたくさん使われているような契約書の下書きを作ることもできます。ほかと同様、たたき台として活用することで、業務にかかる手間を削減しましょう。

契約書の下書きを作成してもらおう

ChatGPTに契約書の下書きを作成してもらうことも可能です。ただし、契約書の種類によって、ChatGPTに入力する指示の内容は変わってきます。ここでは、「Webデザイン会社の広畑工房と委託先業者の間で結ぶ業務委託契約書の下書きを作成してください。」と入力し、ChatGPTに契約書の下書きの作成を依頼してみました。

Webデザイン会社の広畑工房と委託先業者の間で結ぶ業務委託契約書の下書きを作成してください。

【業務委託契約書】

日付: [契約日付]

甲: [広畑工房]
住所: [広畑工房の住所]
代表者名: [代表者名]
連絡先: [連絡先]

乙: [委託先業者]
住所: [委託先業者の住所]
代表者名: [代表者名]
連絡先: [連絡先]

以下の条件に基づき、甲と乙は本業務委託契約（以下、「本契約」と称する）を締結します。

第1条 契約内容
1.1 甲は、乙に対してウェブデザインおよび関連サービスを提供する業務を委託します。
1.2 具体的な委託業務の内容および範囲は、別途作成される作業計画書に基づきます。

第2条 報酬
2.1 乙は、委託業務の遂行に対して甲から報酬を受け取ります。
2.2 報酬の金額および支払い条件は、別途作成される報酬規定書に基づきます。

第3条 納期と納品物
3.1 委託業務の納期は、別途作成される作業計画書に基づきます。
3.2 乙は、委託業務の成果物および納品物を甲に提出する責任を負います。

第4条 機密保持
4.1 甲および乙は、本契約に関連して取得した相手方の機密情報を厳密に保持し、第三者に漏洩しないものとします。
4.2 本条の機密情報とは、契約書、技術情報、顧客情報、業務に関する秘密等、契約の履行に必要な情報のことを指します。

なお、ChatGPTが生成した初期段階の契約書の下書きは冗長で、途中でテキストが切れてしまうことがあります。そのような場合、画面下部に表示された＜Continue generating＞をクリックすることで、続きのテキストを生成してもらえます。

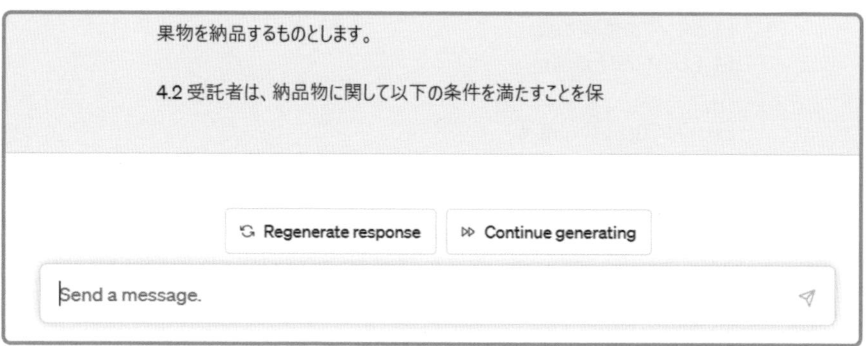

20 Web記事の下書きを作ってもらおう

Web記事のターゲット層や構成案を指定すると、ChatGPTで本文の下書きを作成してもらうことが可能です。草案として活用すれば、コンテンツ制作の時短にもなります。

Web記事の下書きを作成してもらおう

ChatGPTを活用すれば、Web記事の下書きとなるような文章を作れます。

あらかじめ、Web記事の構成案をこちらで用意しておくとスムーズです。ここでは、「あなたはプロのWebライターです。以下の構成案に従って、Web記事を作成してください。」と入力し、ChatGPTにWeb記事の下書きを依頼してみました。

なお、ChatGPTで送受信できる文字数には制限がありますが、その場合は＜Continue generating＞をクリックすると、続きの本文が作成されます。

あなたはプロのWebライターです。以下の構成案に従って、Web記事を作成してください。

#ターゲット
20〜30代男女

#構成案
・H1 山登り初心者でも安心！トレッキングに必要な服装と装備
・目次
トレッキングの基礎知識
1-1. トレッキングとは何か

トレッキングに必要な道具
2-1. 必須アイテム：靴、バックパック、ウェア、帽子、サングラスなど
2-2. 便利なアイテム：トレッキングポール、手袋、GPS、スマートフォンアプリなど

おすすめの初心者向けトレッキングコース
3-1. 関東エリア

山登り初心者でも安心！トレッキングに必要な服装と装備

目次

1. トレッキングの基礎知識
   1-1. トレッキングとは何か
2. トレッキングに必要な道具

むことができます。しかし、安全かつ快適にトレッキングを楽しむためには、適切な服装と装備が必要です。この記事では、トレッキングに必要な服装と装備について詳しく紹介します。

1. トレッキングの基礎知識

1-1. トレッキングとは何か

まず最初に、トレッキングとはどのようなアクティビティなのかを理解しましょう。トレッキングは、山や自然の道を歩くことであり、登山よりも短い距離や比較的平坦な道を歩くことが一般的です。トレッキングはアウトドア愛好者や自然を楽しむ人々に人気があります。

このように、入力した構成案をもとにリード（導入）文や記事本文が生成されます。ただし、情報や言葉が重複していたり、信ぴょう性に欠ける内容が混在していたりすることもあります。また、無料版ChatGPTで採用されている現在の言語モデル（GPT-3.5）では、2021年9月までの情報が回答に利用されるため、最新情報には対応できていません。ChatGPTで作成したものはあくまで下書きと認識したうえで、ブラッシュアップを行う必要があります。

さらに、Web記事を作成する基本的なフロー（ネタ選定・タイトル付け・構成案作成など）を細分化し、各工程においてChatGPTを活用することもできます。たとえば、「あなたはプロのWebライターです。以下の仕様に従ってWeb記事のタイトル案を5つ作成してください。」と入力したうえで、記事のターゲット層や文字数を指定すると、Web記事のタイトル案を作成してもらうこともできます。

21 SEOに強いWeb記事を作ってもらおう

オウンドメディアの運営など、最近は多業種でSEOを意識した記事作りが求められています。そんなとき、ChatGPTを活用すると素早くSEOに強い記事作成が可能です。

まずは見出しを考えてもらおう

特定のキーワードにおいてネット検索で上位に表示されるようにすることを、SEO対策といいます。SEOに強いWeb記事を作成することで、そのキーワードに興味のあるユーザーに見てもらうことができるため、商品やテーマを訴求しやすくなります。ChatGPTにテーマとなるキーワードを伝えてSEO対策がなされた記事の見出しを考えてもらい、マッチしそうなものがあったら記事を作成してもらいましょう。

まずは記事見出しを考えてもらいます。ここでは、「フラワーギフト」をテーマにした記事の見出し10個の提案を依頼しました。

SEO効果のある「フラワーギフト」をテーマにした記事の見出しを10個考えてください。

もしくは、SEO効果を最大化するために、特定のキーワードやフレーズを含めた見出しをいくつか考えてみましょう。以下に10個の見出し例を示します。

1. 「感謝の気持ちを贈る: フラワーギフトの魅力とは」
2. 「特別な日の演出に: フラワーギフトの素敵な使い方」
3. 「心をこめて届ける: フラワーギフトの贈り方ガイド」
4. 「花で表現する愛情: ロマンティックなフラワーギフトアイデア」
5. 「ビジネスシーンでの成功祈願: プロフェッショナルなフラワーギフト選び」
6. 「四季折々の美しさを贈る: フラワーギフトの季節限定コレクション」
7. 「花言葉で想いを伝える: フラワーギフトの花の意味と選び方」
8. 「長続きする喜び: フラワーギフトのアレンジメントと手入れのポイント」
9. 「大切な人への贈り物: フラワーギフトのセレクションガイド」
10. 「驚きと感動を届ける: フラワーギフトのオリジナルデザインとは」

これらの見出しは、フラワーギフトに関心を持つ読者にとって魅力的で役立つ情報を提供することを目指しています。選択したキーワードやフレーズは、SEO効果を高めるために適切に組み込まれていることを確認してください。

活用できそうな見出しの記事を作成してもらおう

前ページで例示された見出しの中で、活かせそうなものがあれば、その見出しを指定し、記事を作成してもらいましょう。文字数に制約がある場合は、文字数の指定をして記事を作成してもらうこともできます。リードや本文が作成されたら、あくまでも下書きとしたうえで、日本語としておかしな部分がないかや、情報に誤りがないかなどをしっかりと自分の目で確認し、ブラッシュアップしていきましょう。

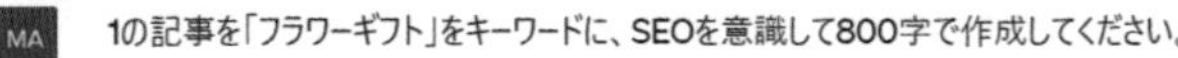

MA 1の記事を「フラワーギフト」をキーワードに、SEOを意識して800字で作成してください。

もちろんです。以下が「感謝の気持ちを贈る: フラワーギフトの魅力とは」というテーマでの800字の記事です。

タイトル: 感謝の気持ちを贈る: フラワーギフトの魅力とは

フラワーギフトは、感謝の気持ちや愛情を贈るための素晴らしい手段です。花々の美しさとその持つ花言葉は、言葉だけでは表現しきれない感情を伝えるのに最適です。この記事では、フラワーギフトの魅力とその贈り方について探ってみましょう。

花の美しさと多様性

フラワーギフトの最大の魅力は、花々の美しさと多様性にあります。色鮮やかな花々や豊かな緑が、贈り物を特別なものに変えます。バラのようなロマンティックな花から、ユリやカーネーションのようなエレガントな花まで、さまざまな種類の花を選ぶことができます。特定の花の種類や色は、受け手に対するメッセージや感情をより深く表現する手助けをしてくれるでしょう。

まとめ

フラワーギフトは、感謝の気持ちや愛情、祝福を贈るための素晴らしい方法です。花の美しさと花言葉を通じて、受け手に特別な想いを伝えることができます。贈り物の際には、花の種類や色、花言葉を考慮して、贈る人と受け取る人の心をつなぐ瞬間を創り出しましょう。日常の中に花を取り入れることで、日常がより美しく、豊かなものとなることでしょう。

以上が800字の記事例です。キーワード「フラワーギフト」を中心に情報を提供し、SEO効果を意識した内容となっています。

22 メッセージカードの下書きを作ってもらおう

大切な人に贈るメッセージカードの文面に盛り込みたい内容を指示すると、メッセージの下書きを作成できます。TPOに応じて文体を変えることも可能です。

メッセージカードの文面を作成してもらおう

上司へのちょっとしたお願いや同僚への誕生日のお祝いメッセージなどは、ChatGPTに作成を依頼してみましょう。内容や送る相手、文字数などを指定することで、適切な文章を作成してくれます。「もっとくだけた感じで」「もっとフォーマルに」などと付け加えれば、語尾などが修正され、指示に寄り添った文章になります。

会社の上司に誕生日のメッセージカードを送りたいです。文章を作成してください。

尊敬する上司へ、

誕生日おめでとうございます！この特別な日に、心からお祝い申し上げます。

日々の仕事で、いつも的確なご指導と励ましをいただき、私たちは大いに感謝しています。あなたのリーダーシップと経験は、私たちの成長と発展に大きな影響を与えています。あなたの的確な判断と知識は、常に私たちにとっての頼もしい指針となっています。

また、私たちが仕事の中で一歩踏み出せるようにしてくださるために、常に励ましの言葉やサポートをいただいています。あなたのチームメンバーとして、そのような素晴らしいリーダーシップを受けることができて光栄です。

私たちのチームは、あなたのもとで働くことを誇りに思っています。これからも、あなたのビジョンと指導のもと、一緒に成長し続けられることを心から楽しみにしています。

誕生日が素晴らしい日となり、幸せなひとときをお過ごしください。健康と成功が常にあなたにとってのお伴となりますよう、心からお祈り申し上げます。

最高の上司であり、尊敬すべきリーダーであることに感謝を込めて、再度お誕生日おめでとうございます！

敬具、

TPOによって文体を変えてもらおう

同じ内容のまま、用途に応じてChatGPTが生成したメッセージの文体をフレキシブルに変更することができます。また、自分で考案したメッセージの文体を変えてもらうこともできます。しかも間違った単語や敬語の使い方をしていると、修正も同時にしてくれるため、非常に便利です。

ここでは、メッセージの内容を同じにして、宛先を上司から仲の良い先輩に変更したときの文面を作成してもらいました。

同じ内容で、仲の良い大好きな先輩にもメッセージを送りたいです。文体を変えて作成してください。

大好きな先輩へ、

Happy Birthday！おめでとうございます！この特別な日に、心からお祝い申し上げます！

先輩と一緒に働けることは、本当に幸運であり、私にとっては特別な喜びです。日々の仕事で、あなたの優しさと助言には、いつも感謝の気持ちでいっぱいです。あなたの経験と洞察力は、私にとっての大きな励みとなっています。

仕事の中で、いつも私たちを励まし、サポートしてくれる先輩に感謝しています。あなたの優れたリーダーシップと尊敬すべきスキルは、私たちが成長し、自信を持ってチャレンジできるようにしてくれます。

一緒に働く時間は、いつも楽しく、学びに満ちています。あなたのおかげで、私は自分の能力を信じることができ、新たなチャレンジに挑戦する勇気を持つことができました。感謝の気持ちでいっぱいです。

今日の誕生日は、あなたにとって特別な一日であり、幸せな瞬間であることを願っています。健康と幸福が常にあなたにとっての相棒でありますように、心から祈っています。

大好きな先輩であり、尊敬するリーダーであることに感謝を込めて、再度お誕生日おめでとうございます！

よろしくお願いします。

（あなたの名前）

生成されたメッセージによっては、「めっちゃおめでとう。」「応援しとるで。」といったように、部分的に若者言葉や特定の方言に変更されたり、「おっす。」や「おーい！」などといった感動詞が使われていたりして、ところどころ不自然な日本語になっていることがあります。そのため、よく確認してからメッセージを送りましょう。

23 文字起こしのテキストから議事録を作ってもらおう

会議や打ち合わせなどの文字起こしテキストをもとに、議事録を作成してもらえます。なお、機密情報の入力の際は、学習機能をオフにしてから行いましょう。

文字起こしテキストをリライトしてもらおう

パソコンソフトなどによる録音データ文字起こしのテキストやビデオ会議の書き起こしテキストは、発言の一語一句がテキスト化され、ケバと呼ばれる「えー」「あのー」などが含まれていたり、また同じことが繰り返されていたりと、聞き直すととても読みづらいものになっている…といった経験のある方がいるかもしれません。そういったテキストはChatGPTで整文、議事録化してもらいましょう。録音したテキストを議事録にしてもらうと、精度の低いものが作成されてしまうので、まずはリライトしてもらいます。ここでは、「以下のテキストはある会議の文字起こしです。読みやすいようにリライトしてください。」と指示を与えています。なお、部外秘の機密情報を取り扱う場合は、P.20を参考に学習機能をオフにしておきましょう。

以下のテキストはある会議の文字起こしです。読みやすいようにリライトしてください。

あ、どうも、お疲れさまです。あ、やまださん入った？まだか、ほ。それでは時間なので始めたいと思います。とりあえずデザイン案２つ、みましたか。ね。はい。あ、はい、さっき見ました。そう。どうもです。で、け、これはどっちがいいかということですが、A案、Bあんありますが、のぐちさんはどうですか。んー、はい、B案の方がすっきりしてて、商品イメージに合ってますかねー。は、そうですね、いいじまさんは。えーとですね、やはりびーあんがらしさがでてるんじゃないかなーって。なるほど、ありがとうございます。わたしもびーあんがいいと思いました。あ、やまださん、おつかれさまです。やまだーさんはどうですか？すみません、あぶってますがB案ですね、はははははふー。それではびーあんで進めたいと思います。あしたまたせんぽうをまじえてこのにあんについてそうだんしたいとおもいます、あ、はい。よろしくおねがいします。

こんにちは、皆さん、お疲れ様です。山田さん、もう入室されましたか？まだですか、了解しました。それでは、時間が来ているので、会議を始めましょう。まず、デザイン案の2つを皆さんご覧になりましたか？はい、ありがとうございます。あ、はい、さっき見ました。そうですか、ありがとうございます。では、どちらのデザイン案が良いかについて話し合いたいと思います。A案とB案がありますが、野口さん、どうお考えですか？んー、はい、B案の方がスッキリしていて、商品イメージに合っているように思いますね。はい、そうですね、井上さんはどうお考えですか？えーと、やはりB案の方がらしさが出ているように感じます。なるほど、ありがとうございま

議事録に必要な情報を追加して作成してもらおう

文字起こしのテキストをリライトしてもらったら、あらためて議事録にまとめてもらいます。その際、会議の日時や参加者などの情報を追加します。作成された議事録を必要に応じて微調整して問題がなければ、部署内などで共有しましょう。

この会議の議事録を作成して。会議日時は2023年10月1日午後1時、場所は第2会議室。参加者は星、野口、山田、飯島。

会議議事録

会議日時: 2023年10月1日 午後1時
場所: 第2会議室
参加者:

- 星
- 野口
- 山田
- 飯島

議事内容:

1. 開会
   会議は午後1時に第2会議室で開始されました。出席者は上記の通りです。
2. デザイン案の確認
   2つのデザイン案（A案とB案）について、参加者は確認しました。山田さんが入室する前に、星さん、野口さん、飯島さんがそれぞれデザイン案を見ました。
3. デザイン案の評価
   野口さんはB案がスッキリしており、商品イメージに合っていると評価しました。井上さんもB案がらしさを引き立てていると述べました。山田さんもB案に賛成の意見を示しました。
4. 決定
   参加者全員がB案を選択し、それを採用することを決定しました。
5. 今後のスケジュール
   明日はB案に関する詳細な話し合いを行うこととし、参加者全員がその日程に合意しました。
6. 閉会
   会議は円滑に終了し、議事録が作成されました。

以上が、2023年10月1日の会議の議事録です。

24 企画書の下書きを作ってもらおう

企画のアイデアを考えてもらい、それをもとに企画書の下書きもお願いしてみましょう。作成の際、ChatGPTに具体的な情報を提供すると高精度の出力が得られます。

アイデアを出してもらおう

ChatGPTは文章の作成や編集などの事務的な作業が得意ですが、アイデアを求めることもできます。アイデア出しの作業が行き詰まってしまったときに、ChatGPTに相談してみると、思いもよらないアイデアが生まれることもあるでしょう。ここでは、まずアイデア出しから始め、その中からよさそうなものがあったら、それをもとに企画書の下書きを作成してもらいます。はじめに、「宇宙をテーマにした和風カフェを展開したいのですが、アイデア出しに行き詰まってしまいました。最高のコンセプトのアイデアを7つ出してください。」と求めてみました。

宇宙をテーマにした和風カフェを展開したいのですが、アイデア出しに行き詰まってしまいました。最高のコンセプトのアイデアを7つ出してください。

宇宙をテーマにした和風カフェのコンセプトアイデアを7つ提供します。これらのアイデアは、異なるアプローチや要素を組み合わせることで、ユニークなカフェ体験を提供できるかもしれません。

1. 星座カフェ:
   客席には天井に星座が描かれた和風の部屋を提供します。メニューには星座にちなんだドリンクや料理があり、夜には特別なスターゲイジングイベントを開催します。

スイーツとドリンクが並び、客席には占星術のシンボルが描かれています。

7. 和室宇宙カフェ:
   伝統的な和室スタイルのカフェで、宇宙のテーマを取り入れた和風デザインを組み合わせます。客席には庭園や滝を模したアクセントがあり、宇宙風のお茶セレモニーが楽しめます。

これらのアイデアは、宇宙と和風文化を組み合わせ、独自の雰囲気を持つカフェを作成するための出発点として役立つでしょう。どのコンセプトを選ぶかは、あなたの好みやターゲット顧客層に合わせて検討してください。

情報を追加し企画書の下書きを作成してもらおう

ChatGPTから得たアイデアの中によさそうなものがあったら、ターゲットや出店予定地など必要な情報を追加して、企画書の下書きの作成を進めていきます。与える情報はより具体的で、多いほうが精度の高い回答が得やすくなります。出力された下書きにおかしな点がないか確認し、もっと深く掘り下げたい項目などはさらにアイデアを出してもらうなどして精度を高めていきましょう。

5.宇宙神話のカフェについて、以下の条件も含めて企画書を作成してください。

・主なターゲットは30～40代の男女。その解説も加える。
・客単価は1500円～3500円。
・テナント出店場所は都市部のショッピングモール内。
・メニューの例を5つほど出してほしい。

【宇宙神話のカフェ 企画書】

1. コンセプト概要:
宇宙神話のカフェは、和風の宇宙神話をテーマにしたユニークなカフェです。客は宇宙神話に魅了された30～40代の男女を主要なターゲットとし、宇宙神話に基づいたインテリア、メニュー、イベントなどを提供します。都市部のショッピングモール内に出店し、1500円から3500円の客単価で楽しい宇宙神話の体験を提供します。

6. マーケティング戦略:

- ソーシャルメディアプロモーション
- インフルエンサーマーケティング
- ショッピングモール内のイベント協力
- ニュースレターやメールマーケティングの活用
- オンライン予約システムの提供

7. 収益モデル:

- 飲食売上
- イベントの参加料金
- グッズの販売 (宇宙神話に関連する書籍やアートプリントなど)
- 特別コースやプライベートパーティの予約収入

宇宙神話のカフェは、宇宙と神話の魅力を組み合わせたユニークな体験を提供し、30～40代の客層に楽しさと知識の共有の場を提供します。価格帯も幅広く、多様な客層を引き寄せることができるでしょう。

25 文章を校正してもらおう

文章の誤字脱字チェックや文字表記の揺れをチェックする、といった校正作業は、ChatGPTの得意分野です。迅速に作業してもらえるので業務効率も上がります。

誤字脱字をチェックしてもらおう

自分で作成した文章に誤字脱字がないか、ChatGPTにチェックしてもらいましょう。間違えている箇所を直してもらい、また、具体的にどこに誤字脱字があり、修正したのかをわかりやすく教えてもらうことができます。試しに以下のようにチェックをお願いしてみたところ、ほとんどの誤字脱字を直してもらうことができました。ただし、質問文2行目の「年ならではのグルメ体験」は、正しくは「都市ならではのグルメ体験」です。「独自なグルメ体験」とこちらが意図していない修正をされてしまいました。「校正の誤り」や「事実誤認」も稀にあるので、過信は禁物です。ある程度修正はしてもらえるといった心構えで、上手に活用することがおすすめです。

以下の文章の誤字脱字をチェックし、直してください。直した場所はわかるようにしてください。

都市部での暮らしにはかうｚ多くの楽しみ方があます。まず、レストランやカフェで美味しい食事をを楽しむことができます。多様な料理やカルチャーが集まる年ならではのグルメ体験は、食通にとっては魅力的です。また、都市部には美術館、博物館、劇場んどの文化施設が豊富にあります。芸術や歴史に触れることで知識を深め、感動を共有することができます。ショッピングも都市部での楽しみの一つです。都市部での暮らしは多彩な楽しみ方があり、日常が刺激に溢れています。図分の趣味や興味に合わせて都市の魅力を探し、楽しむことができます。

以下は、文章の誤字脱字を修正したバージョンです。修正箇所は全て角括弧で示しています。

都市部での暮らしには[数多く]の楽しみ方が[あります]。まず、レストランやカフェで美味しい食事を[楽しむことができます]。多様な料理やカルチャーが集まる[独自]なグルメ体験は、食通にとっては魅力的です。また、都市部には美術館、博物館、[劇場など]の文化施設が豊富にあります。芸術や歴史に触れることで知識を深め、感動を共有することができます。ショッピングも都市部での楽しみの一つです。都市部での暮らしは多彩な楽しみ方があり、日常が刺激に満ちています。[自分の]趣味や興味に合わせて都市の魅力を探し、楽しむことができます。

表記の揺れを直してもらおう

文章内で「引っ越し」「引越」や「PowerPoint」「パワポ」など、同じ言葉がバラバラの異なる表記で使われていると、読みにくくなってしまいがちです。表記を統一することで、読みやすい文章になります。ChatGPTは表記が揺れている箇所を、どちらかに統一してくれます。「次の文章の表記の揺れを統一して。」のような指示でも直してもらうこともできますが、見逃されてしまうこともあります。もし表記の揺れのある言葉がわかっている場合は、あらかじめ指示文にその言葉を入れておくと、より精度の高い出力が得られます。

MA

以下の文章の「データー」を「データ」に、「お客さん」「お客様」を「顧客」へと表記の揺れ統一するように直してください。

顧客データは、現代のビジネスにおいて非常に重要な要素です。顧客データは、お客さんに関する情報を収集し、分析するための貴重な資産であり、企業の成功に大きく貢献します。顧客データを収集することは、お客様のニーズや嗜好を理解し、製品やサービスを最適化するための基盤となります。お客さんの購買履歴、フィードバック、行動パターンなどのデーターを分析することで、企業は市場トレンドを把握し、競争力を維持・向上させることができます。また、顧客データーはカスタマーサポートやマーケティング戦略の向上にも役立ちます。個別の顧客に対するパーソナライズされたサービスや製品提供のために、データ駆動型のアプローチを採用する企業が増えています。これにより、顧客満足度が向上し、忠誠度が高まることが期待されます。一方で、顧客データの収集や保管には慎重さが求められます。プライバシー規制の厳格化に伴い、個人情報の取り扱いには注意が必要です。企業はデータセキュリティの強化に取り組む必要があり、データー漏洩やセキュリティ侵害を防ぐための措置を講じるべきです。総括すると、顧客データはビジネスにおいて不可欠な要素であり、賢く活用すれば企業の競争力を高め、持続的な成功を収める手助けとなります。しかし、データーの収集と管理には責任が伴うため、慎重かつ倫理的なアプローチが求められます。

顧客データは、現代のビジネスにおいて非常に重要な要素です。顧客データは、顧客に関する情報を収集し、分析するための貴重な資産であり、企業の成功に大きく貢献します。顧客データを収集することは、顧客のニーズや嗜好を理解し、製品やサービスを最適化するための基盤となります。顧客の購買履歴、フィードバック、行動パターンなどのデータを分析することで、企業は市場トレンドを把握し、競争力を維持・向上させることができます。また、顧客データはカスタマーサポートやマーケティング戦略の向上にも役立ちます。個別の顧客に対するパーソナライズされたサービスや製品提供のために、データ駆動型のアプローチを採用する企業が増えています。これにより、顧客満足度が向上し、忠誠度が高まることが期待されます。一方で、顧客データの収集や保管には慎重さが求められます。プライバシー規制の厳格化に伴い、個人情報の取り扱いには注意が必要です。企業はデータセキュリティの強化に取り組む必要があり、データ漏洩やセキュリティ侵害を防ぐための措置を講じるべきです。総括すると、顧客データはビジネスにおいて不可欠な要素であり、賢く活用すれば企業の競争力を高め、持続的な成功を収める手助けとなります。しかし、データの収集と管理には責任が伴うため、慎重かつ倫理的なアプローチが求められます。

26 文章の文字数を増やしてもらおう

自分で作成した文章の長さが物足りないときには、ChatGPTに文字数を増やしてもらいましょう。しかも内容は変えず、ただ単純に文字数を増やしてもらうことも可能です。

文章のボリュームアップをしてもらおう

自分で作成した文章の文字数が規定を満たしていない場合、文章の内容は変えることなく、文字数を増やしてもらいましょう。「以下の文章を○○字に増やしてください。」の一文に続けて文章を入力すると、ChatGPTがこちらが提示した文章の内容に沿って続きの文を作成してくれます。ただし、文字数は指定数よりも多く出力されてしまいがちで、たとえばここでは「1000字に増やしてください。」とお願いしていましたが、実際に出力されたのは1,650字でした。あらかじめそのような特性を理解して、うまく調整しながら利用するとよいでしょう。

以下の文章を1000字に増やしてください。

コンピュータは情報処理とデータ管理のための電子装置です。主要な機能は情報の入力、処理、保存、出力です。入力デバイス（キーボード、マウスなど）を使ってユーザーがデータを入力し、中央処理装置（CPU）がそれを解釈し、プログラムやアプリケーションを実行します。

コンピュータは現代社会において不可欠な電子装置であり、情報処理とデータ管理の分野で幅広く活用されています。その主要な機能は情報の入力、処理、保存、出力という四つの要素から成り立っており、これらの機能が連携して、私たちの日常生活やビジネス環境に革命をもたらしています。

まず、コンピュータの入力機能は、ユーザーがデータをシステムに供給するための架け橋となります。キーボードやマウスなどの入力デバイスを使用して、テキスト、数値、画像、音声などの情報をデジタル形式でコンピュータに送ることができます。このプロセスは、私たちの日常生活での電子メールの作成、ウェブサイトの閲覧、文書の作成など、さまざまな活動で行われています。

次に、中央処理装置（CPU）が登場します。CPUはコンピュータの「頭脳」とも言える部分で、入力されたデータを解釈し、プログラムやアプリケーションを実行する役割を果たします。CPUは高度な演算を行い、データの処理速度や効率に影響を与えます。その性能向上により、コンピュータはより多くのタスクを迅速にこなし、複雑な計算や処理を可能にしています。

希望する内容を追加し文字数を増やしてもらおう

さらにChatGPTは、希望する内容（用途）を含めた文字数の増加をすることもできます。たとえばここでは、「ビジネスシーンでの利用」という内容を盛り込んでもらうよう、お願いしてみました。このときに指定する追加したい内容が、具体的であればあるほど、より精度の高い文章として生成されやすくなります。

MA 以下の文章に「ビジネスシーンでの利用」という内容を盛り込んで、1000字程度増やしてください。

コンピュータは情報処理とデータ管理のための電子装置です。主要な機能は情報の入力、処理、保存、出力です。入力デバイス（キーボード、マウスなど）を使ってユーザーがデータを入力し、中央処理装置（CPU）がそれを解釈し、プログラムやアプリケーションを実行します。

コンピュータは情報処理とデータ管理のための電子装置として、私たちの日常生活やビジネスシーンで広く利用されています。このテクノロジーの重要性はますます高まり、ビジネスにおいても欠かせないツールとなっています。

ビジネスシーンにおいて、コンピュータは様々な重要な役割を果たしています。まず、情報の入力に関して言えば、従業員がキーボードやマウスを使って顧客情報、取引データ、財務情報などのデータを入力することが一般的です。これにより、正確な情報がデジタルフォーマットで保存され、後で容易にアクセスできるようになります。また、バーコードリーダーやQRコードスキャナーなどの特殊な入力デバイスも使用され、効率的なデータ収集が実現されています。

次に、中央処理装置（CPU）は入力されたデータを解釈し、プログラムやアプリケーションを実行します。ビジネス環境では、これが極めて重要な要素です。例えば、顧客からの注文情報を受け付け、在庫管理システムに反映させたり、売上データを分析し経営戦略を立てたりする際に、CPUの高速な処理能力が不可欠です。コンピュータの性能向上により、これらのタスクは効率的かつ迅速に実行され、企業の競争力向上に寄与しています。

コンピュータはまた、データの保存と管理においても欠かせない役割を果たしています。デジタル化の進化により、大量のデータを効果的に保存し、必要な情報に迅速にアクセスできるようにすることが可能になりまし

さらに、コンピュータはビジネス戦略の策定にも不可欠です。競合分析や市場調査を通じて、企業は戦略的な方向性を決定し、競争優位性を確保するための計画を立てます。コンピュータを活用したデータ駆動型のアプローチは、戦略の進化と調整を容易にし、迅速な対応が可能となります。

ビジネスシーンにおいて、コンピュータはますます不可欠な存在となっています。情報処理、データ管理、自動化、コミュニケーション、戦略策定など、様々な側面でその重要性が増しています。今後もテクノロジーの進化に伴い、ビジネスにおけるコンピュータの役割はますます大きくなることでしょう。したがって、ビジネスリーダーや組織はコンピュータ技術の最新動向に対応し、効果的に活用することが求められています。

文章を要約してもらおう

長文をコンパクトにして読みたいときは、ChatGPTに要約してもらいましょう。文字数やポイントを指定したうえで、要点をまとめて生成してくれます。

文字数を指定して要約してもらおう

ChatGPTは、長めの文章を短く要約してまとめることを得意としています。「以下の文章を要約してください。」の一文に続けて文章を入力すると、入力した文を短く要約してくれますが、P.60のように文字数を指定することも必要になります。ただし、文字数は指定よりも多く出力されがちですので、こちらでうまく調整するようにしましょう。

以下の文章を200字で要約してください。

コンピュータは情報処理とデータ管理のための電子装置として、私たちの日常生活やビジネスシーンで広く利用されています。このテクノロジーの重要性はますます高まり、ビジネスにおいても欠かせないツールとなっています。

ビジネスシーンにおいて、コンピュータは様々な重要な役割を果たしています。まず、情報の入力に関して言えば、従業員がキーボードやマウスを使って顧客情報、取引データ、財務情報などのデータを入力することが一般的です。これにより、正確な情報がデジタルフォーマットで保存され、後で容易にアクセスできるようになります。また、バーコードリーダーやQRコードスキャナーなどの特殊な入力デバイスも使用され、効率的なデータ収集が実現されています。

次に、中央処理装置（CPU）は入力されたデータを解釈し、プログラムやアプリケーションを実行します。ビジネス環境では、これが極めて重要な要素です。例えば、顧客からの注文情報を受け付け、在庫管理シ

化、コミュニケーション、戦略策定など、様々な側面でその重要性が増しています。今後もテクノロジーの進化に伴い、ビジネスにおけるコンピュータの役割はますます大きくなることでしょう。したがって、ビジネスリーダーや組織はコンピュータ技術の最新動向に対応し、効果的に活用することが求められています。

コンピュータは日常生活とビジネスで広く使用され、情報処理とデータ管理に不可欠です。ビジネスでは、情報入力、中央処理、データ保存、自動化、コミュニケーション、戦略策定など多くの役割を果たし、効率向上や競争力強化に寄与します。デジタル化と技術革新により、新たなビジネスモデルも生まれ、市場が変革します。ビジネスリーダーと組織はコンピュータ技術の進化に対応し、戦略的に活用する必要があります。コンピュータは今後ますます重要性を増し、ビジネスにおいて不可欠なツールとなるでしょう。

ポイントを指定して要約してもらおう

要約してほしいポイントを指定することで、その部分を活かしたまとめ文が作れます。たとえばここでは、「以下の文章をビジネス利用に着目して要約してください。」と指定してみました。

MA 以下の文章をビジネス利用に着目して要約してください。

コンピュータは情報処理とデータ管理のための電子装置として、私たちの日常生活やビジネスシーンで広く利用されています。このテクノロジーの重要性はますます高まり、ビジネスにおいても欠かせないツールとなっています。

ビジネスシーンにおいて、コンピュータは様々な重要な役割を果たしています。まず、情報の入力に関して言えば、従業員がキーボードやマウスを使って顧客情報、取引データ、財務情報などのデータを入力することが一般的です。これにより、正確な情報がデジタルフォーマットで保存され、後で容易にアクセスできるようになります。また、バーコードリーダーやQRコードスキャナーなどの特殊な入力デバイスも使用され、効率的なデータ収集が実現されています。

次に、中央処理装置（CPU）は入力されたデータを解釈し、プログラムやアプリケーションを実行します。ビジネス環境では、これが極めて重要な要素です。例えば、顧客からの注文情報を受け付け、在庫管理システムに反映させたり、売上データを分析し経営戦略を立てたりする際に、CPUの高速な処理能力が不可欠です。コンピュータの性能向上により、これらのタスクは効率的かつ迅速に実行され、企業の競争力向

ターネット・オブ・シングス（IoT）などの技術革新により、新たなサービスや製品が生まれ、新しい市場が開拓されています。例えば、自動運転車の開発やスマートホームテクノロジーの普及などがあります。

さらに、コンピュータはビジネス戦略の策定にも不可欠です。競合分析や市場調査を通じて、企業は戦略的な方向性を決定し、競争優位性を確保するための計画を立てます。コンピュータを活用したデータ駆動型のアプローチは、戦略の進化と調整を容易にし、迅速な対応が可能となります。

ビジネスシーンにおいて、コンピュータはますます不可欠な存在となっています。情報処理、データ管理、自動化、コミュニケーション、戦略策定など、様々な側面でその重要性が増しています。今後もテクノロジーの進化に伴い、ビジネスにおけるコンピュータの役割はますます大きくなることでしょう。したがって、ビジネスリーダーや組織はコンピュータ技術の最新動向に対応し、効果的に活用することが求められています。

コンピュータはビジネスにおいて不可欠なツールであり、情報処理とデータ管理の要として広く利用されています。ビジネス環境では、コンピュータはデータ入力、処理、保存、自動化、コミュニケーション、戦略策定など、多くの役割を果たします。データの正確な保存とアクセス、高速な処理能力により業務プロセスが効率的になり、競争力が向上します。また、ビジネスコミュニケーションの革新と国際化を促進し、新たなビジネスモデルの創造にも貢献しています。ビジネスリーダーはテクノロジーの進化に対応し、コンピュータ技術を効果的に活用することが不可欠です。これにより、戦略的な意思決定と競争優位性の確保が可能となります。コンピュータの役割は今後も拡大し、ビジネスにおける重要性は一層高まるでしょう。

28 Webページを要約してもらおう

ChatGPTに簡単な指示と、要約してもらいたいWebページのURLを入力するだけで、該当ページやセクションの説明もあっという間に作成することが可能です。

Webページの内容を要約してもらおう

文章の生成はさることながら、要約も得意なChatGPTに難しそうなWebページの要約をお願いしてみます。ここでは、「要約してください。」と入力したあとに該当のWebページのURLを貼付し、要約を依頼してみました。

ただし、要約元とはまったく異なる返答をされることもあるため、内容はよく確認しましょう。さらに、Webページによっては、要約できない場合もあります。

要約してください。https://www.n-culinary.ac.jp/contents/column/hydroponics/

「水耕栽培：未来の農業への道」という記事では、水耕栽培について紹介されています。水耕栽培は土壌を使用せずに植物を育てる方法であり、将来の農業の重要な一環と考えられています。

記事は、水耕栽培の利点として、土壌が必要ないため農地の利用効率が高くなること、水やりや肥料の管理が容易で、農薬の使用量が減ることを挙げています。また、水耕栽培は環境にやさしく、食品の安全性や品質の向上にも寄与すると述べられています。

記事はさらに、水耕栽培の種類として、流動栽培や静水栽培、気体栽培などの異なる方法があることを紹介しています。それぞれの方法には特徴があり、適切な環境条件を提供することで植物の成長を最適化することができると説明されています。

最後に、記事は水耕栽培の実践例として、日本の農業学校が水耕栽培を導入し、学生たちが実際に植物を育てる取り組みを行っていることを紹介しています。水耕栽培は新しい技術として急速に進化しており、将来の農業のあり方に大きな影響を与える可能性があると結んでいます。

また、下図のように要約の文章量を指定するほか、要点、説明する対象（小学生向け、など）を指定することで、目的に対応した要約の依頼も可能です。しかし、長さや文字数を指定した場合、超過することのほうが多い傾向にあります。

MA

短く要約してください。https://en.storia-japan.com/ja/blogs/japan/minazuki

「みなづき」とは、日本の伝統的な暦における6月を指す言葉です。この月は暑さが厳しくなり、特に京都では「水無月」と呼ばれることもあります。この記事では、みなづきの由来や特徴について説明しています。また、みなづきには風味豊かな和菓子があり、特に「みなづき羊羹」と呼ばれるものが人気です。この記事では、みなづき羊羹の作り方や食べ方についても紹介されています。日本の伝統文化や和菓子に興味がある方にとって、興味深い情報が詰まった記事です。

MA

100字程度で要約してください。https://en.storia-japan.com/ja/blogs/japan/minazuki

この記事は、日本の伝統的な6月を指す言葉「みなづき」について説明し、特に「みなづき羊羹」という和菓子に焦点を当てています。読者は、みなづきの由来や特徴、そしてみなづき羊羹の作り方や食べ方について学ぶことができます。日本の伝統文化や和菓子に興味がある方におすすめの記事です。

29 英語の文章を翻訳してもらおう

翻訳機能もChatGPTが持っている多様な才能の1つです。英語をはじめとして、日本語、スペイン語、フランス語、ドイツ語、イタリア語などに対応しています。

ためしに英語の文章を翻訳してもらおう

ChatGPTに文章や単語を入力し、言語を指定すると、あっという間に全文を（こちらが指定した言語で）翻訳してもらうことができます。

ここでは、「以下の文章を日本語に翻訳してほしい。」と質問したあとに英文を入力、ChatGPTに翻訳を依頼しました。なお、未解読の古代言語や利用人口・使用頻度が低い言語に関しては対応していない場合があります。

MA

以下の文章を日本語に翻訳してほしい。
This section explains how to make scones. Follow these steps
(1) Preheat oven to 180°C.
(2) In a bowl, combine 2 cups flour, 2 1/2 teaspoons baking powder, 1/4 cup sugar, and 1/4 teaspoon salt; mix well.
(3) Add 1/2 cup cold butter (cut into small pieces) to the bowl and cut the butter into the flour with your fingertips. Continue until sugar and butter are evenly mixed.
(4) Add 1/2 cup milk and 1 egg to the bowl and mix with a wooden spoon. Mix until the dough comes together, but be careful not to over knead.
(5) Turn the dough out onto a lightly coated counter or work surface and roll out the dough with your hands to a thickness of about 1.5 cm.
(6) Cut out the dough using cookie cutters or cups. Make a circular shape about 5-7 cm in diameter.
(7) Bake the cut-out dough in a preheated oven for 12 to 15 minutes. Bake until the scones are lightly golden brown on top.
(8)Remove the scones from the oven and allow to cool completely.
(9) When the scones are cool, serve with clotted cream or jam, if desired.
These are the simple instructions for making the scones. Enjoy your delicious tea time!

このセクションでは、スコーンの作り方を説明します。以下の手順に従ってください。

(1) オーブンを180°Cに予熱します。
(2) ボウルに2カップの小麦粉、2と1/2ティースプーンのベーキングパウダー、1/4カップの砂糖、そして1/4ティースプーンの塩を合わせてよく混ぜます。

(3) ボウルに1/2カップの冷たいバター（小さなかけらに切っておく）を加え、指先でバターを粉に切り込むように混ぜます。砂糖とバターが均等に混ざるまで続けます。
(4) ボウルに1/2カップの牛乳と1個の卵を加え、木製のスプーンで混ぜます。生地がまとまるまで混ぜますが、こね過ぎに注意してください。
(5) 生地を薄く塗ったカウンターや作業台に取り出し、手で厚さ約1.5cmになるように生地を延ばします。
(6) クッキーカッターやカップを使って生地を切り抜きます。直径約5-7cmの円形にします。
(7) 切り抜いた生地を予熱したオーブンで12〜15分焼きます。スコーンが上部が軽く金茶色になるまで焼きます。
(8) オーブンからスコーンを取り出し、完全に冷まします。
(9) スコーンが冷めたら、お好みでクロテッドクリームやジャムと一緒に提供します。

これがスコーンの簡単な作り方の手順です。美味しいお茶の時間をお楽しみください！

単純に文章をほかの言語に翻訳するだけでなく、指定した単語の意味や使い方について詳しく調べることもできます。文章中にわからない単語がある場合は、訳文と同時に例文などを作成してもらえば、言語学習にも役立てられます。

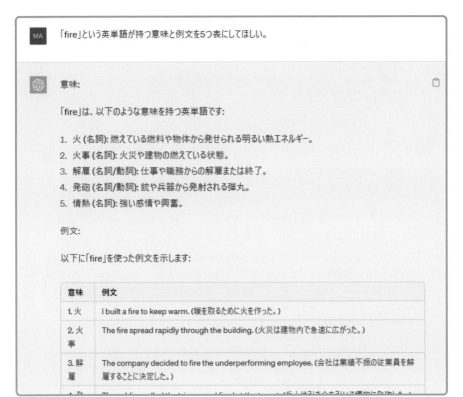

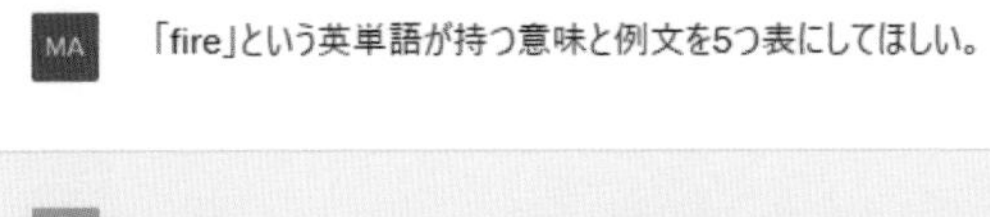

MA
「fire」という英単語が持つ意味と例文を5つ表にしてほしい。

意味:

「fire」は、以下のような意味を持つ英単語です:

1. 火 (名詞): 燃えている燃料や物体から発せられる明るい熱エネルギー。
2. 火事 (名詞): 火災や建物の燃えている状態。
3. 解雇 (名詞/動詞): 仕事や職務からの解雇または終了。
4. 発砲 (名詞/動詞): 銃や兵器から発射される弾丸。
5. 情熱 (名詞): 強い感情や興奮。

例文:

以下に「fire」を使った例文を示します:

意味	例文
1. 火	I built a fire to keep warm. (暖を取るために火を作った。)
2. 火事	The fire spread rapidly through the building. (火災は建物内で急速に広がった。)
3. 解雇	The company decided to fire the underperforming employee. (会社は業績不振の従業員を解雇することに決定した。)

30 箇条書きから日報を作ってもらおう

一日の業務を箇条書きにしたテキストをベースにして、「日報」や「報告書」をChatGPTに作成してもらいましょう。与える情報が詳細なほど、生成内容も高精度になります。

箇条書きから日報用文章を作成してもらおう

箇条書きでメモした一日の業務内容から日報を作成してもらうことができます。たとえば作業時間や場所、業務内容や進捗、今後どうなるかなどの情報を与え、「想定される所感を含めて営業日報を作成してください。」のような提案でChatGPTに日報を作ってもらった結果が以下の通りです。必要に応じて修正すれば、すぐに使えます。

以下の箇条書きを参考に、想定される所感を含めて日報を作成してください。

・10時～11時　山田スーパー訪問。価格交渉と受発注の確認。価格交渉は難航したが提案を調整し、再度訪問予定。
・14時～15時半　レストラン岡田訪問。新商品プレゼン。担当者好感触。
・16時半　帰社。上司に報告。

日報

日付：2023年09月04日
拝啓、ご報告申し上げます。

本日の業務内容を以下に報告いたします。

1. 山田スーパー訪問（10時～11時）
本日午前中、山田スーパーを訪問しました。訪問の目的は、価格交渉と受発注に関する確認です。価格交渉は初めは難航しましたが、提案を調整し、再度訪問することを約束しました。山田スーパーとの取引は重要であり、今後の交渉に向けて準備を進めていきます。山田スーパーの受発注についても、現行の手順に変更があるかどうかを確認しました。特に問題はありませんでしたが、今後も定期的な確認を行う必要があると考えています。
2. レストラン岡田訪問（14時～15時半）
午後、レストラン岡田に訪問しました。この訪問の目的は、新商品のプレゼンテーションです。担当者に新商品の特長や利点を説明し、詳細な質問にも答えました。幸いなことに、担当者からは好感触を得ることができました。彼らは新商品を導入する意向を示し、具体的な契約に向けて話を進めることができそう

Chapter 4

ChatGPTで作業を効率化しよう

31 情報収集をしてもらおう

ChatGPTに調べたい内容をたずねると、すぐに知りたい情報を集めてくれます。ただし、最新の情報ではなかったり誤った情報を返されたりすることもあるので、事実確認が必要です。

時間に影響されない調べものを依頼しよう

ChatGPTで使われている言語モデル「GPT-3.5」と「GPT-4」は、2021年9月までの情報を学習しているため、最新情報を集めることはできませんが、2021年9月までの情報を返すことや時間の経過にあまり影響されない物事に関するものなら調べてくれます。ここでは、「読書が好きな友人に贈る誕生日プレゼントで悩んでいます。どんなものが人気か調べてください。」と入力してChatGPTに調べものを依頼しました。

読書が好きな友人に贈る誕生日プレゼントで悩んでいます。どんなものが人気か調べてください。

読書が好きな友人に贈る誕生日プレゼントのアイデアとしては、以下のようなものがあります。

1. オーディオブックのギフトカード：忙しい友人には、通勤中やジョギング中に聞けるオーディオブックが良いでしょう。Amazon AudibleやApple Booksなどのオーディオブック配信サービスからギフトカードを購入することができます。
2. お気に入りの著者のサイン入り本：友人のお気に入りの著者の本をサイン入りでプレゼントすると、特別な思い出になります。オンラインの古書店やサイトを調べると、サイン入りの本を手に入れることができるかもしれません。
3. 書店で使えるギフトカード：友人に好きな本を選んでもらうために、書店で使えるギフトカードを贈るのも良いアイデアです。友人の好みに合わせて、大手書店や地元の書店などからギフトカードを選ぶことができます。

4. 本棚整理用の本立て：読書好きの友人は多くの本を持っていることが多いです。本棚整理用の本立てをプレゼントすると、友人の部屋が整理されてスッキリするかもしれません。オンラインのホームセンターや雑貨店から、デザイン性の高い本立てを選ぶことができます。
5. 読書灯：夜遅くまで本を読む友人には、読書灯が必要かもしれません。小型のLED読書灯は、携帯性が高く、色温度調整機能が付いているものもあります。

以上のアイデアから、友人の好みやライフスタイルに合ったプレゼントを選ぶことができます。

しかし、ChatGPTは不正確な情報を返してくることもあります。情報の正確さが求められることを知りたい場合は、ChatGPTの回答を鵜呑みにせず、事実確認をすることが大切です。たとえば、以下のような内容の調べものにも情報の誤りが見られます。

MA 私は小学校教諭です。授業で生徒に披露できるトリビアを探しています。徳川家康に関するトリビアはありますか？

はい、徳川家康に関するトリビアをいくつかご紹介します。

- 徳川家康は、若い頃に「竹千代」という名前で呼ばれていました。
- 家康は、豊臣秀吉によって賤ヶ岳の戦いで敗北した後、翌年には復讐を果たしています。
- 徳川家康は、茶道にも熱心で、千利休とも交流がありました。
- 家康は、1603年に江戸幕府を開き、以後、約260年にわたって続く江戸時代を開いたことで知られています。
- 家康が最期を迎えた場所は、静岡県の駿府城（現在の静岡市）であり、その後、駿府藩として存続しました。

以上が、徳川家康に関するトリビアの一例です。生徒たちにとって、興味深く聞ける内容かもしれません。

・賤ヶ岳の戦いで豊臣（羽柴）秀吉に敗北したのは柴田勝家。また、柴田勝家はその戦いで自害しているため、「翌年には復讐を果たしています。」というのも誤り
・徳川家康は賤ヶ岳の戦いに参戦していない（徳川家康と豊臣秀吉が直接戦ったのは小牧・長久手の戦いのみ）

・駿府藩は江戸時代初期に存在した藩

32 タスク管理をしてもらおう

タスク（仕事）は行う順番によって、消化の効率に差が出ます。ChatGPTに最適な順を提案してもらい、また、iPhoneのカレンダーで表示できるよう出力してもらいましょう。

タスクの実行順を提案してもらおう

　消化しなければならないタスクを、ChatGPTに整理してもらうことができます。たとえばある1日に遂行すべきタスクの内容とそれにかかる時間を入力し、業務時間を伝えたうえで、ChatGPTにそれぞれのタスクをどの時間帯に行うのがよいかを整理してもらいます。ここでは、「以下のタスクを整理したいです。9:00-18:00の業務時間内で適切と考えられる順番に並び替え、時間帯も提案してください。1時間のお昼休憩も入れてください。」と入力し、タスクを箇条書きで示しました。

以下のタスクを整理したいです。9:00-18:00の業務時間内で適切と考えられる順番に並び替え、時間帯も提案してください。1時間のお昼休憩も入れてください。

担当得意先訪問（2h）
新規開拓（2h）
顧客情報収集（1.5h）
チーム会議・報告（1h）
メール確認（0.5h）

業務を整理し、9:00から18:00の業務時間内に1時間のお昼休憩を含めた適切な順序と時間帯を提案します。

1. 9:00 - 11:00: 担当得意先訪問（2時間）
   - 朝早くから訪問し、クライアントとの重要なタスクを始めます。
2. 11:00 - 11:30: メール確認（30分）

7. 16:30 - 18:00: メール確認（1.5時間）
   - メールを再度確認し、日中の重要なメッセージに返信します。また、次の日の予定を確認します。

このスケジュールでは、重要なタスクを優先し、メールの確認を効果的に配置し、お昼休憩を含めて業務時間内にすべてのタスクを遂行できるようになっています。また、新規開拓と顧客情報収集を午前と午後に分けて配置し、クライアントへの訪問を朝に設定することで、効率的に業務を進めることができます。

整理したタスクをiPhoneカレンダーに入れよう

提案されたタスクの順番や時間帯が問題ないようであれば、そのままiPhoneの「カレンダー」アプリで表示できるように、ics形式で出力してもらいましょう。出力の際には、日付も指定しておきます。

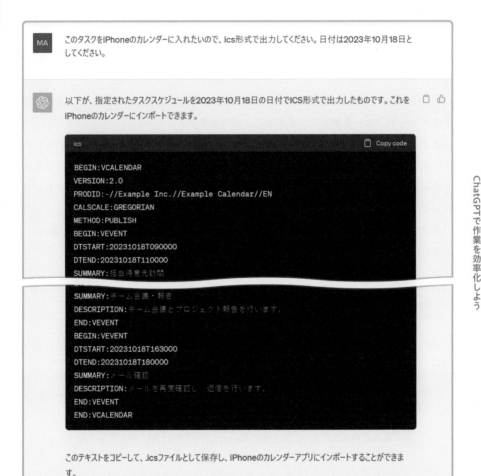

MA このタスクをiPhoneのカレンダーに入れたいので、ics形式で出力してください。日付は2023年10月18日としてください。

以下が、指定されたタスクスケジュールを2023年10月18日の日付でICS形式で出力したものです。これをiPhoneのカレンダーにインポートできます。

ics　Copy code

```
BEGIN:VCALENDAR
VERSION:2.0
PRODID:-//Example Inc.//Example Calendar//EN
CALSCALE:GREGORIAN
METHOD:PUBLISH
BEGIN:VEVENT
DTSTART:20231018T090000
DTEND:20231018T110000
SUMMARY:担当得意先訪問
```

```
SUMMARY:チーム会議・報告
DESCRIPTION:チーム会議とプロジェクト報告を行います。
END:VEVENT
BEGIN:VEVENT
DTSTART:20231018T163000
DTEND:20231018T180000
SUMMARY:メール確認
DESCRIPTION:メールを再度確認し、返信を行います。
END:VEVENT
END:VCALENDAR
```

このテキストをコピーして、.icsファイルとして保存し、iPhoneのカレンダーアプリにインポートすることができます。

出力されたら、<Copy code>をクリックして「メモ帳」アプリなどに貼り付け、ファイル名の拡張子を「.ics」にして保存すると、ics形式のファイルが作成されます。このファイルをメールでiPhoneへ送り、添付されたicsファイルをクリックすることで、「カレンダー」アプリへの入力ができるようになります。

33 企画のキャッチコピーを作ってもらおう

企画の内容や特徴、顧客ターゲットなどを細かく指定することで、それに基づいたキャッチコピー案を作成してもらうことが可能です。では実際に作ってもらいましょう。

キャッチコピーを作成してもらおう

ChatGPTに、企画の内容や特徴などの情報を与えて指示することで、その企画に対するキャッチコピーを簡単に作成することができます。

まずはシンプルな方法でChatGPTに指示してみましょう。ここでは、「「肌荒れしやすい敏感肌の女性でも夏の紫外線を気にすることなく使える日焼け止め」として企画する商品のキャッチコピーにはどのようなものが考えられますか。」と入力し、ChatGPTにいくつかキャッチコピー案を実際に作成してもらいました。

表示された案の中から、より企画の内容やニュアンスに合ったものをこちらで選択し、以降何度かの修正を経て完成させるといった使い方ができます。

「肌荒れしやすい敏感肌の女性でも夏の紫外線を気にすることなく使える日焼け止め」として企画する商品のキャッチコピーにはどのようなものが考えられますか。

「夏の強烈な紫外線も敏感肌に優しくガード！透明な盾で美肌守ります」
「デリケートな肌にも夏の日差しをさらりとブロック！極上の保護をお約束」
「敏感肌の女性も安心の紫外線対策。しっとり軽やかな使い心地で自然な美しさを引き出す」
「紫外線ストレス知らずのハッピーな夏！敏感肌専用の強力シールドで自信のある一日を」
「敏感肌のための究極の日焼け止め。肌荒れの心配なし、夏の輝きを満喫」
「夏の紫外線に挑む敏感肌専用。やさしさと効果を両立した理想の日焼け止め」
「美しい肌を愛でる敏感肌の味方。日焼け知らずの肌を手に入れましょう」

続いて、少し細かい指示を入れてキャッチコピーを作成してもらいました。ここでは、「あなたはプロのコピーライターです。以下の仕様に従って、企画のキャッチコピーを5個作成してください。」と入力したうえで、顧客ターゲットや企画の特徴となる内容、キャッチコピーの文字数を指定してみました。

ポイントは、ChatGPTに指示する際に、「あなたはプロのコピーライターです。」や「あなたは一流のコピーライターです。」というように具体的な役割を与えることです。また、キャッチコピー案の数の上限もあらかじめ指示しておきます。

MA

あなたはプロのコピーライターです。以下の仕様に従って、企画のキャッチコピーを5個作成してください。

#ターゲット
20〜30代女性

#伝えたいこと
・汗や水で簡単に落ちない日焼け止め

#すること
・キャッチコピーは15文字程度にすること

1. 「夏を、落ちにくく。」
2. 「しっかり、守りたい。」
3. 「濡れても、焼けない。」
4. 「太陽を、簡単にリセット。」
5. 「水や汗にも負けない、日焼け対策。」

作成してもらったキャッチコピー案に対して、追加の企画の情報を提供すれば、キャッチコピーを再提出してもらうことも可能です。たとえば、上記の続きに「ありがとうございます。企画の特徴を追加します。以下の特徴も踏まえて、キャッチコピーを改善してください。」のように入力し、必要な情報を箇条書きで指示すると、一度作成してもらったキャッチコピー案をもとに改善してもらうことができます。

このように適切に指示を追加し、ChatGPTとのやり取りを繰り返していくことで、よりよいキャッチコピーにブラッシュアップしていく方法もあります。

34 アンケート項目を作ってもらおう

アンケート調査に必要な質問項目の作成を、ChatGPTにお願いしましょう。また、アンケート結果をカテゴリ別に分類し、表にまとめてもらうこともできます。

アンケート項目を作成してもらおう

商品開発などでユーザーの意見をリサーチしたい場合、アンケートを実施することがありますが、項目を1つずつ考えるのは時間がかかります。ChatGPTにある程度質問項目を作成してもらい、適宜修正するなどして利用すると、作業時間が大幅に短縮できます。

ここでは「男性向け日焼け止めクリームの商品開発において、アンケート調査を行いたいと思います。商品開発に活かせるアンケート項目を考えてください。」と依頼したところ、10項目を提案してもらえました。

男性向け日焼け止めクリームの商品開発において、アンケート調査を行いたいと思います。商品開発に活かせるアンケート項目を考えてください。

男性向け日焼け止めクリームの商品開発において、有用な情報を収集するためのアンケート項目を以下に提案します。これらの項目をカスタマイズして、ターゲット市場や製品コンセプトに合わせて調整してください。

1. あなたは日常的に日焼け止めクリームを使用しますか？（使用頻度）
   - 毎日使用する
   - 屋外での活動時に使用する
   - 特別な場合や長時間の屋外活動時にのみ使用する
   - 使用しない
2. あなたの肌タイプはどのようですか？（肌の感じや特徴）
   - 乾燥肌

8. 日焼け止めクリームを塗布した後の肌感触や仕上がりについて、どのような希望がありますか？
9. あなたが日焼け止めクリームを選ぶ際に、価格が重要な要因ですか？（価格についての意見）
10. その他、日焼け止めクリームに関するコメントや提案があればお聞かせください。

これらのアンケート項目を利用して、ターゲット市場の需要や希望に関する有用な情報を収集し、男性向け日焼け止めクリームの商品開発に役立てることができるでしょう。

アンケート結果の分類をしてもらおう

アンケートの回答を見やすいようにカテゴリ別に分類してもらうこともできます。また、分類結果は表組みなど、どのような形式で出力してほしいかを指定できます。

ここでは「出力には元の回答もそのまま添え、見やすいように表にまとめてください。」と指示したところ、以下のような出力がされました。出力された表組みの部分をコピーし、Excelのシートにペーストすると、「アンケートの結果の表」として利用することができます。

以下は男性向け日焼け止めクリームに関するアンケートの1項目「日焼け止めクリームを使用する際、気になる点や不満点はありますか？」に寄せられた意見です。カテゴリーに分類してください。なお、出力には元の回答もそのまま添え、見やすいように表にまとめてください。

日焼け止めクリームが肌にベタつく感じがする。
白い残りや白浮きがあるとメイクの邪魔になる。
長時間外にいると、日焼け止めの効果が薄れるように感じる。
スポーツや水泳をすると、日焼け止めが流れてしまう。
日焼け止めを塗るとき、匂いが気になる。
日焼け止めが目に入ることがある。
日焼け止めの使用後、肌がかぶれることがある。

以下はアンケートの意見をカテゴリーに分類し、見やすい表にまとめたものです。

カテゴリー	意見
テクスチャ・感触	日焼け止めクリームが肌にベタつく感じがする。
	日焼け止めを塗ると、肌が乾燥する。
	SPF（紫外線防止効果）の値が高いと、重たく感じることがある。
	日焼け止めを塗ると、毛穴が詰まる気がする。
	日焼け止めを塗ると、汗をかいてもサラサラ感が持続しない。
	日焼け止めクリームが汗によって滲んでしまう。
メイクへの影響	白い残りや白浮きがあるとメイクの邪魔になる。
使用時の不快感	日焼け止めを塗るとき、匂いが気になる。
	日焼け止めが目に入ることがある。
	日焼け止めの使用後、肌がかぶれることがある。
	顔に日焼け止めを塗ると、ニキビができやすくなる。
	日焼け止めの成分について、肌への影響が心配だ。
	日焼け止めを塗ると、肌が発疹やかゆみを起こすことがある。
効果の持続性・再塗りの難しさ	長時間外にいると、日焼け止めの効果が薄れるように感じる。

35 SNSの口コミを分析してもらおう

SNSには貴重な生の声がたくさん投稿されています。これらをChatGPTに分析してもらい、企画や商材の課題点や対策の提案を出してもらうことができます。

口コミを分析し、課題点などを出してもらおう

SNSには多くの口コミが投稿されています。好意的な意見もあれば、耳の痛い批判的な意見もあり、しかし、それぞれが貴重な生の意見とも言えます。これらのデータをChatGPTに分析、あるいは課題を提示してもらい、最終的に解決するための提案を示してもらうことができます。

たとえばここでは、創作フレンチ居酒屋についてSNSで投稿された口コミ情報をChatGPTに与え、今後の課題と提案を示してもらいました。

MA

私は創作フレンチ居酒屋を経営しています。SNSには以下のような口コミがありました。悪い部分があったら、それぞれの課題を提案してください。

カップルデートに最適なお店です。ロマンチックな雰囲気と美味しい料理が楽しめました。
サービスはよかったけど、騒がしいカップル客が多く、静かに食事を楽しむのが難しかったです。
サービスはよいし、料理も美味しい。ただし、価格が少し高めです。
素敵なデートの場所としておすすめです。料理が美味しく、スタッフの対応も素晴らしいです。
料理の味は良かったですが、値段に対して期待していた体験とは異なりました。
カップルや女性客同士が多いというのは本当で、落ち着いた雰囲気でした。
予約して訪れたけど、待つ価値がありました。美味しい料理と素晴らしいサービスが待っていました。
料理はクオリティが高く、特にシェフのおすすめメニューは最高でした。
高級感があり、デートや特別な日にピッタリの場所です。
料理のバリエーションが豊富で、どんな食事にも合うお酒も充実しています。
高級感あふれる雰囲気で、贅沢なひとときを過ごせました。料理は美味しく、スタッフも気配りが行き届いています。
価格が高いのは分かりますが、料理の量が少なすぎると感じました。コスパがあまり良くないです。
カップル向けの雰囲気でしたが、友達とも楽しめました。
女子会で訪れましたが、サービスが素晴らしく、料理のクオリティも高かったです。リピートしたいお店です！
予約が取りにくいし、待ち時間が長い。せっかくの食事が台無しになりました。
サービスは普通で、特筆すべき点はありませんでしたが、不快なこともなかったです。
東京の創作フレンチ居酒屋で素晴らしい夜を過ごしました！料理は美味しくて、サービスも素晴らしかったです。
高級な雰囲気はあるけど、料理の味には期待していたほど満足できませんでした。
創作フレンチ居酒屋としては良いお店かもしれませんが、個人的にはもう少しアットホームな雰囲気が好みです。

口コミに基づいて、あなたの創作フレンチ居酒屋の課題と提案を以下に示します：

1. 騒音の問題：
   - 課題：騒がしいカップル客が多く、静かに食事を楽しむのが難しいという意見があります。
   - 提案：静かな雰囲気を提供するために、席の間隔を広げたり、騒音を吸収する装飾や仕切りを導入することを検討してください。また、特定のエリアを静かな席として設定することも考えてみてください。
2. 価格に関する課題：
   - 課題：価格が高めとの指摘が複数あります。
   - 提案：価格設定を見直し、コスパを向上させるために、ランチセットメニューやディナーコースなど、よりリーズナブルなオプションを提供することを考えてみてください。また、ドリンクメニューにおいても幅広い価格帯の選択肢を提供することで、さまざまな予算に対応できるようになります。
3. 予約と待ち時間の問題：
   - 課題：予約が取りにくく、待ち時間が長いという声があります。
   - 提案：予約システムの改善を検討し、待ち時間を短縮できる方法を模索してください。また、顧客に

のクオリティを維持することが重要です。

5. アットホームな雰囲気の提供：
   - 課題：一部の顧客はアットホームな雰囲気を好むとの意見があります。
   - 提案：一部のエリアをアットホームな雰囲気の席として設定し、スタッフの温かい接客やアットホームな装飾を提供することで、異なる雰囲気の席を楽しむことができるようになります。

これらの提案を検討し、顧客の要望に応えつつ、お店の改善を進めることで、顧客満足度を向上させることができるでしょう。

また、これらのデータをExcelなどで管理・分析したい場合は、CSV形式で出力してもらうことができます。「上記をCSVにしてください。」などと指示することで、カンマで区切られたデータが作成され、＜Copy code＞をクリックするだけで、CSV形式のテキストデータが取得できます。

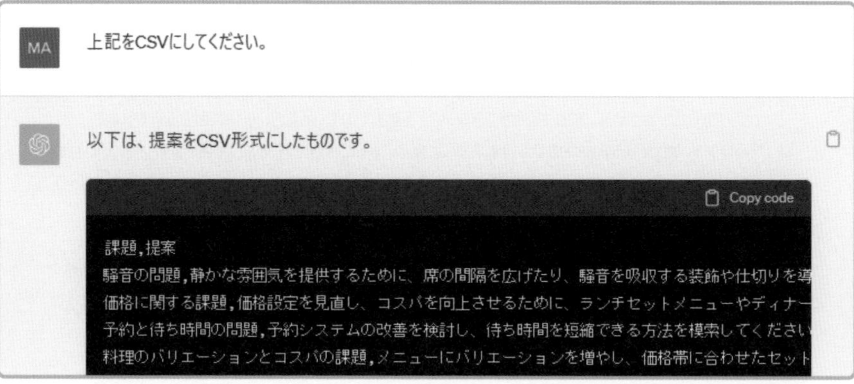
MA
上記をCSVにしてください。
以下は、提案をCSV形式にしたものです。
Copy code
課題,提案
騒音の問題,静かな雰囲気を提供するために、席の間隔を広げたり、騒音を吸収する装飾や仕切りを導
価格に関する課題,価格設定を見直し、コスパを向上させるために、ランチセットメニューやディナー
予約と待ち時間の問題,予約システムの改善を検討し、待ち時間を短縮できる方法を模索してください
料理のバリエーションとコスパの課題,メニューにバリエーションを増やし、価格帯に合わせたセット

Chapter 4 ChatGPTで作業を効率化しよう

36 SNSでの炎上リスクを教えてもらおう

たとえば、企業アカウントによるSNSへの投稿内容が炎上すると、取り返しのつかない事態になることも…。投稿前に炎上の可能性をChatGPTに確認してみましょう。

投稿前に炎上の可能性を教えてもらおう

SNSに投稿した内容が、ユーザーに不適切であると判断され、非難や批判を浴びる、いわゆる「炎上」が後を絶えません。SNSへの投稿はその特性から瞬時に拡散され、気付いたときには多くのユーザーの目に留まることとなってしまいます。炎上が企業アカウントで発生した場合、イメージ低下や顧客離れ、法的措置といった事態に陥り、最悪の場合は業績に大きく影響をおよぼします。そのようなことを避けるため、投稿前にChatGPTに炎上のリスクや可能性を聞いてみましょう。

以下の文章をSNSに投稿します。炎上の可能性はありますか？

残業大好きな独身社畜の皆様！帰っても面倒なのでどうせ料理しないですよね。当レストランは深夜営業してますので、ぜひお立ち寄りください！レンチン料理ばかりのチェーン店では味わえない、真心こもった手作り料理をご提供します。

この投稿には炎上の可能性があるかもしれません。なぜなら、以下の理由から一部の人々から批判を受ける可能性があるからです：

1. "独身社畜" という表現は侮辱的に受け取られる可能性があります。この言葉は軽蔑的で、他の人々を傷つけることがあります。
2. "帰っても面倒なのでどうせ料理しないですよね" という表現は、仕事が忙しい人々に対して軽蔑的であると受け取られかねません。また、料理ができないことを前提にしているため、不快に感じる人もいます。
3. "レンチン料理ばかりのチェーン店では味わえない、真心こもった手作り料理をご提供します" という部分は、他のレストランやチェーン店を否定的に評価しているように受け取られるかもしれません。競合他社を批判することは、ネガティブな反応を引き起こす可能性があります。

この投稿を行う前に、よりポジティブで尊重的な言葉遣いや表現を検討し、他の人々を傷つける可能性のある部分を修正することをお勧めします。また、レストランの魅力や特徴に焦点を当てて、より魅力的にプロモーションする方法を模索することも大切です。

前ページの回答で、炎上の可能性が指摘されました。次にもしもこの文章を投稿した場合はどのような反応がありそうかについても聞いてみました。

MA　この文章を投稿した場合、ユーザーからはどのような反応が寄せられるでしょうか？

この文章を投稿した場合、ユーザーからはさまざまな反応が寄せられる可能性があります。以下はその一例です：

1. 肯定的な反応:
   - "深夜営業のレストランは便利ですね！行ってみたいです。"
   - "手作り料理が提供されるのは素晴らしいです。メニューが気になります！"
   - "残業後に食事ができる場所があるのは助かります。ありがとう！"
2. 中立的な反応:
   - "料理が手作りであることは魅力的ですが、価格や場所についてもっと詳細が知りたいです。"
   - "深夜営業は便利かもしれませんが、健康への影響に気をつける必要がありますね。"
3. 批判的な反応:
   - "独身社畜という表現は不快です。仕事が忙しいからといって蔑視されるのは良くありません。"
   - "競合他社を批判するのは良くありません。自分の良さを前面に出すべきです。"
   - "手作り料理とは言っても、価格や品質についてはどうなのでしょうか？"

投稿に対する反応は、投稿したコンテンツやその文脈に依存します。肯定的な反応が得られる可能性もあれば、否定的な反応や批判も受ける可能性があるため、注意深く選んで投稿することが重要です。また、ユーザーからのフィードバックには適切に対応し、ポジティブな対話を促進する努力をすることが大切です。

現状での投稿は避けたほうがよいと判断したら、具体的に、投稿できるような表現でChatGPTに文章を作成してもらいましょう。ここでは、「SNSで炎上する可能性の低い適切な内容の投稿に直してください。」と入力してみました。

MA　では、SNSで炎上する可能性の低い適切な内容の投稿に直してください。

もちろん、炎上の可能性を低くするために、以下のような修正を加えた投稿を検討してみてください：

皆様、長時間のお仕事お疲れ様です！忙しい毎日、料理する時間がないこと、よく理解しています。当レストランは深夜営業しており、美味しい手作り料理を提供しています。仕事後にお立ち寄りいただき、リラックスできる素敵な時間をお楽しみください。新しい味覚体験を提供することを心から楽しみにしています。お待ちしております！

37 資格の学習をしよう

ChatGPTは資格学習の強力なツールともなりえます。何度も疑問点の確認ができ、またスタディノートの作成など、効率的な学習をサポートしてくれます。

資格学習のサポートしてもらおう

社会人が資格取得のため、勉強する際は、限られた時間を有効活用して結果を出したいものです。ChatGPTを上手に活用することで、専属の講師のようにサポート役となってもらい資格学習を進めることができます。はじめに、何を勉強したいかをしっかりと伝えましょう。

日商簿記3級を受験しますので、受験勉強の相手役になってください。

もちろん、日商簿記3級の受験勉強のお手伝いをします！簿記の勉強に関する質問や疑問があれば、どんどん聞いてください。どのトピックについて勉強したいですか？具体的な質問や勉強の進め方についてのアドバイスが必要であれば、お気軽にお尋ねください。一緒に頑張りましょう！

マンツーマンの授業のように、基本的にはわからないことを質問し、解説してもらうといった使い方がメインとなるでしょう。現時点でChatGPTは2021年9月までの情報の蓄積で対応することになりますが、一般的な知識は大量にストックされているので、幅広く対応してくれるはずです。

クレジット売掛金での仕訳についてよくわかりません。
解説してください。

クレジット売掛金に関する仕訳は、企業が商品やサービスを提供し、代金を現金で受け取らずに、後日顧客から受け取る場合に使われる簿記の取引です。以下にクレジット売掛金の仕訳について解説します。

顧客が支払いを行った場合、売掛金から現金または銀行口座に入金する仕訳を行います。このプロセスによって、売上高と売掛金のトランザクションを正確に記録し、財務状況を追跡します。

ChatGPTが解説してくれても、よくわからない場合は、素直にわからなかったことを伝えましょう。わかるまで何度も遠慮なく質問を繰り返すことができるので、理解をより深めることができるでしょう。

わからないので、もっとわかりやすく説明してください。

もちろん、もっとわかりやすく説明します。

クレジット売掛金の仕訳は、商品やサービスを提供してお金をすぐにもらわない場合に使います。つまり、お客さんに商品やサービスを提供し、代金を後で受け取る場合の帳簿の取引です。

この方法を使うことで、企業は売上高と売掛金を追跡し、収益とお金の流れを管理できます。

また、学習内容をまとめるスタディノートの作成サポートにも役立ちます。ここでは「以下の空いている部分を補足して、完成させてください。」と一部抜けのあるテキストを与えて、スタディノートを作成してもらいました。

スタディノートを作成します。以下の空いている部分を補足して、完成させてください。

●決算手続き

・決算とは

・流れ
取引-仕訳帳-総勘定元帳-試算表の作成-財務諸表の作成-帳簿の締切り

・決算整理

もちろん、スタディノートの空いている部分を補足して完成させましょう。

決算手続き

決算とは

決算とは、企業がある一定の期間（通常は1年間）の経済活動をまとめ、その結果を財務諸表として報告するプロセスです。これにより、企業の収益、費用、資産、負債などの財務情報を明確にし、経営者、株主、投資家、税務当局、その他の関係者に提供します。

決算の流れ

1. **取引**：決算のプロセスは、企業の日常的な経済活動から始まります。これには売上高、経費、資産の取得などが含まれます。

38 試験問題を作ってもらおう

ChatGPTに英単語や、単純な計算問題の作成を依頼すると、瞬時に作ってくれます。また、わからない問題の回答などをたずねれば、あなたの代わりに解いてくれます。

試験問題を作ってもらおう

学年やレベル別に合わせた試験問題を作りたいときも、ChatGPTを利用すれば簡単に作成することができます。 ChatGPTは文章生成AIでありながら、基本的な計算処理能力も持ち合わせています。しかし、対象のレベルや内容によっては、適切ではない問題が作成される場合もありますので要注意です。また、英語圏のサービスであるためか、英作文問題では比較的レベルの高い文章が生成される傾向があります。

日本の大学生レベルの計算問題を5問作成してください。

もちろんです！以下に日本の大学生レベルの計算問題を5問ご提供いたします。

問題1：
次の積分を求めてください：
∫ (2x^3 - 5x^2 + 3x + 1) dx

問題2：
三角関数の恒等式を利用して、cos(2θ)をsin(θ)の関数として表してください。

問題3：
2次方程式 3x^2 + 5x - 2 = 0 の解を求めてください。

問題4：
直方体の体積を求めるための公式は何ですか？辺の長さがそれぞれ2 cm, 3 cm, 4 cmの直方体の体積を計算してください。

問題5：
微分係数を求めてください：
f(x) = 4x^3 + 2x^2 - 3x + 1 の f'(x)

実際、作ってもらった問題にわからない部分（問題）があれば、ヒントや回答などを出すよう依頼しましょう。答えを教えてくれたり、途中式をていねいに書いてくれたりします。出題者としてわからないことがあってもすぐに解決できるでしょう。ただし、回答が間違っていることがあるため、最終的な正誤確認は必要になります。

MA

下記の問題がわかりません。回答を教えてください。
問①「マズローの欲求五段階説」をすべて答えなさい。

マズローの欲求五段階説（Maslow's Hierarchy of Needs）は、人間の欲求を階層的に表した理論です。以下に、マズローの欲求五段階説の各段階とその説明を示します。

1. 生理的欲求（Physiological Needs）：
   これは、人間の基本的な生理的な欲求や生存に関連する欲求です。具体的な要素には、空腹、喉の渇き、睡眠、性欲などが含まれます。この段階では、食事、水、空気、睡眠、性的欲求の充足が重要です。
2. 安全欲求（Safety Needs）：
   この段階では、身体的な安全性や安定性への欲求が主要な要素となります。人々は身体的な危険や脅威から保護され、安全な環境で生活することを求めます。具体的な要素には、安定した雇用、物理的な安全、法的な保護などが含まれます。
3. 社会的所属と愛（Social Belongingness and Love Needs）：
   この段階では、社会的なつながりや愛情、友情への欲求が重要です。人々は愛されたり、他者とのつながりを感じたりすることを求めます。具体的な要素には、家族、友人、ロマンチックな関係、所属するコミュニティなどが含まれます。
4. 尊重の欲求（Esteem Needs）：
   この段階では、自己評価や他者からの評価、尊敬を得ることへの欲求が重要です。人々は自己承認

は、生理的欲求が最も基本的であり、順に安全欲求、社会的所属と愛の欲求、尊重の欲求、最終的に自己実現の欲求が到達すべき最上位の欲求とされています。

ただし、人々の欲求は個人や文化によって異なる場合もありますし、必ずしも階層的な順序通りに進むわけではありません。また、すべての人が自己実現の欲求に到達するわけではありません。

マズローの欲求五段階説は、人間の欲求やモチベーションについて理解するための有用な枠組みとして広く受け入れられていますが、完全な解答ではなく、個別の人や状況によって異なる要素も存在することを念頭に置く必要があります。

また、回答してもらった内容に対して、「自己啓発ってなんだっけ。」「尊重の欲求についてもっと詳しく解説してほしい。」などと入力すると、上に挙げた通り、その部分だけがピックアップされ、詳細を提示してもらうこともできます。納得できるまで質問を繰り返していくことで、理解が深まります。

39 オンボーディングプランを作ってもらおう

新入社員が会社の戦力となるよう育成する「オンボーディングプラン」を一から作成すると、時間がかかります。ChatGPTにサポートしてもらいましょう。

新入社員育成プランを作成してもらおう

新しく入社した社員がいち早く活躍できるよう、会社が一丸となってサポートすることを、オンボーディングといいます。しかし、はじめてこれを実施するとき、どのようなプランで進めたらよいのか、判断が付かないかもしれません。そのような場合はChatGPTにある程度の大枠をステップで示してもらい、そのあと各項目について詳しく掘り下げていき、具体的なプランを作成してみましょう。はじめに、どのような会社で、どのような社員を対象に行い、どんな人材に育てたいかといった情報を詳細に伝えていきます。

当社は肉の加工食品を開発、製造、販売する企業です。新たに入社した20代前半の営業部に配属された社員を、6ヶ月で自立した営業活動が行え、さらに会社利益をもたらすことができるプロの営業マンに育てるオンボーディングプランを実施したいと思います。このプランに必要な施策をステップで示してください。

新たな社員を自立した営業プロフェッショナルに育てるためのオンボーディングプランは、段階的なアプローチが重要です。以下に、6ヶ月の期間を考慮したステップを示します。

第1ヶ月: オリエンテーションと基本的なトレーニング

1. 企業文化と価値観の紹介
2. 製品ラインと競合状況の概要
3. 営業部門の組織と役割の理解
4. 基本的な営業スキルのトレーニング（コミュニケーション、リーダーシップ、プレゼンテーション）

第2ヶ月: 製品知識の習得と市場理解

5. 製品の詳細なトレーニング（材料、製造プロセス、品質管理）

1. ターゲット市場と顧客セグメンテーションの学習
2. 競合他社の製品と比較の分析

第3ヶ月: 営業スキルの磨き上げ

8. 営業テクニックの実践トレーニング（顧客アプローチ、ニーズの特定、提案の作成）

第4ヶ月: 実践とフィードバック
10. ロールプレイと営業シミュレーションの実施

1. マネージャーによる定期的なフィードバックセッション

第5ヶ月: 顧客との実際のコミュニケーション
12. 顧客へのアプローチとセールスプレゼンテーションの実施

1. 既存顧客のフォローアップとリレーションシップの構築

第6ヶ月: 成果の分析と継続的な成長
14. 営業成績の分析と改善の提案

1. 個別のキャリアプランの策定と継続的なトレーニングプログラムの選択

このプランを実施する際には、社員の進捗をモニタリングし、個別のニーズに合わせてカスタマイズすることが重要です。また、フィードバックと指導が常に提供されるようにし、社員が自信を持って成長できる環境を整えましょう。成功事例の共有やモチベーション向上の取り組みも忘れずに行い、社員のモチベーションを高めてプロの営業マンに育て上げるサポートを提供しましょう。

前ページから上記のようにある程度の大枠を示してもらったら、次は詳細に深掘りしていきましょう。たとえばここでは、ステップ1の内容をさらに具体的に教えてもらいました。各ステップの具体的なプラン内容を確認し、もとの大枠に肉付けをして、さらに会社や部署向けなどでカスタマイズすると、オンボーディングプランが完成します。

MA 「第1ヶ月: オリエンテーションと基本的なトレーニング」について、さらに具体的に教えてください。

第1ヶ月のオリエンテーションと基本的なトレーニングは、新入社員が企業とその営業部門について理解し、営業活動を開始するための基盤を築く重要な段階です。以下に、この段階で行うべき具体的な活動とトピックを示します。

1. **企業文化と価値観の紹介:**
   - 会社のミッション、ビジョン、コアバリューの説明。
   - 過去の成功事例やエンタープライズの重要な瞬間の共有。
2. **製品ラインと競合状況の概要:**
   - 会社が提供する製品やサービスの詳細な紹介。
   - 競合他社の主要な製品や市場ポジションの説明。
3. **営業部門の組織と役割の理解:**

この段階では、新入社員に対して会社全体のビジョンや文化を理解させ、営業活動を成功させるために必要な基本的な知識やスキルを提供します。トレーニングは実践的で参加型のものにし、ロールプレイやケーススタディを活用して新入社員が理論を実践に移す機会を提供することが大切です。また、新入社員が質問しやすい環境を整え、学習意欲を高めるためにもファシリテーションが必要です。

40 データ処理をしてもらおう

データ処理といっためんどうな作業は、ChatGPTに依頼しましょう。ChatGPTではデータの羅列から表を作成したり、表内の計算を実行したりすることもできます。

データの羅列から表を作成してもらおう

ChatGPTに、必要なデータを順に入力することで簡単な表組みを作成できます。

ここでは、「以下のデータを表形式で整理してください。商品名　価格　在庫数　チョコレート　200円　10　ビスケット　110円　12　ミニドーナツ　190円　9　グミ　80円　5」と入力し、ChatGPTに表の作成を依頼しました。「列1の見出し　列2の見出し　列3の見出し…」と入力したあと、「列1　列2　列3…」の順に行ごとに対応するデータを入力する点がポイントです。なお、あらかじめ列と行の数を指定して表を作成することもできます。

ちなみに、ChatGPTで作成された表は、コピーしてExcelやGoogleのスプレッドシートなどに貼り付けて利用することも可能です。

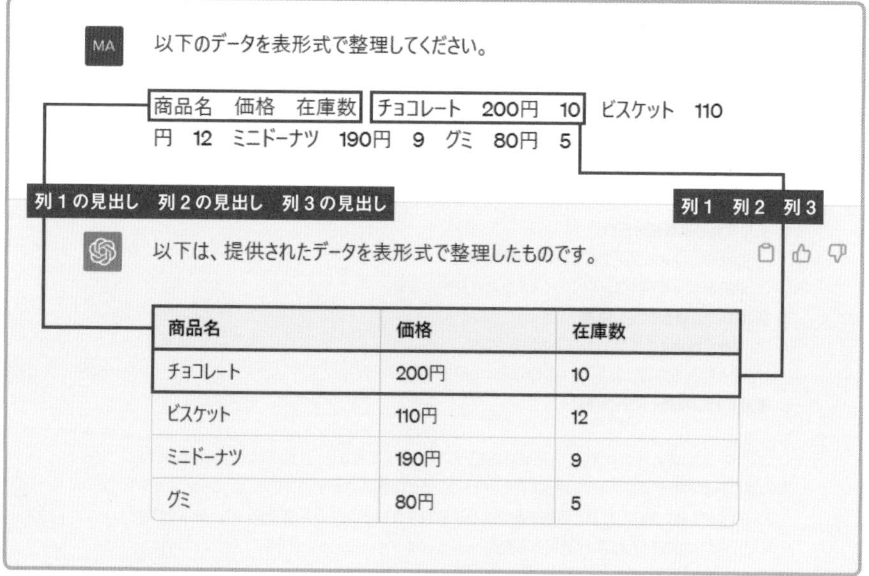

商品名	価格	在庫数
チョコレート	200円	10
ビスケット	110円	12
ミニドーナツ	190円	9
グミ	80円	5

表内の数字の計算をしてもらおう

ChatGPTでは表内の計算を実行してもらうことができます。以下のように、作成した表内のデータをもとに指示を入力するほか、事前に作成してもらった表に列を追加して計算結果を表示させることも可能です。

MA　チョコレートを5個とビスケットを6個とミニドーナツを3個購入したいです。合計金額はいくらですか。

チョコレートを5個（1個あたり200円）、ビスケットを6個（1個あたり110円）、ミニドーナツを3個（1個あたり190円）購入する場合、各商品の金額を合計します。

チョコレートの合計金額 = 5個 × 200円/個 = 1000円
ビスケットの合計金額 = 6個 × 110円/個 = 660円
ミニドーナツの合計金額 = 3個 × 190円/個 = 570円

合計金額 = チョコレートの合計金額 + ビスケットの合計金額 + ミニドーナツの合計金額
= 1000円 + 660円 + 570円
= 2230円

したがって、購入した商品の合計金額は2230円です。

MA　各生徒の合計点数と平均点数を表形式で表示してください。

以下は、各生徒の合計点数と平均点数を表形式で表示したものです。

名前	国語	数学	英語	合計点数	平均点数
中本	88	90	78	256	85.33
井上	70	77	62	209	69.67
大石	63	87	79	229	76.33
西岡	75	80	82	237	79
田中	90	76	80	246	82

各生徒の合計点数は各科目の点数の合計であり、平均点数は各生徒の合計点数を科目数で割ったものです。

41 簡単な計算をしてもらおう

ChatGPTでは簡単な計算を行うことも可能です。ただし、基本的には文章生成AIであるため、桁の大きい数や複雑な数式の計算である場合、誤った答えになることがあります。

簡単な計算をしてもらおう

ChatGPTは文章生成AIであり、言語モデル（GPT-3.5またはGPT-4）に基づいて入力内容を処理し、データベースから文章を生成しています。つまり、数学的な知識や計算能力についても、データベースの範疇であれば、ChatGPTで処理することが可能というわけです。ここではためしに、「○○を計算してください。」と入力してChatGPTに足し算と掛け算の回答を依頼してみることにしました。

MA

500+350を計算してください。

500+350の計算結果は850です。

3 桁の足し算は正解!

ただし、ChatGPTは本格的な計算処理能力を兼ね備えているわけではないため、すべての計算結果に正確な回答をすることはできず、誤った回答をすることもあります。以下のように桁数が多い計算になると、計算ミスが見受けられます。

MA
13457×23971を計算してください。

13457×23971を計算すると、322,483,647になります。

大きい桁の掛け算は間違うことも…（正しくは 322,577,747）

四則演算（足し算、引き算、掛け算、割り算）や分数、小数、割合の問題のほか、方程式や代数のきわめて基礎的な問題にも対応しています。

MA 16を3で割った余りを求めてください。

16を3で割った余りは1です。

少ない桁の割り算は正解!

MA 5/9掛ける1/3を計算してください。

5/9掛ける1/3を計算すると、答えは5/27です。

小さい分数の掛け算も正解!

MA 以下の方程式を解いてください。

-x-3=-1

与えられた方程式は次の通りです。

-x - 3 = -1

この方程式を解くために、まず両辺から-3を引きます。

-x - 3 - (-3) = -1 - (-3)

-x - 3 + 3 = -1 + 3

-x = 2

次に、両辺の符号を反転させます。

x = -2

したがって、方程式の解はx = -2です。

簡単な方程式も解いてくれる!

42 サンプル用のダミーデータを作ってもらおう

大量のダミーデータの作成は、多くの時間と労力が消費されます。そんなとき、ChatGPTにお願いすれば、希望に沿ったものをすばやくたくさん作成してくれます。

ダミーデータを作成してもらおう

サンプル資料の作成やシステムの開発過程で、大量のダミーデータが必要なときがあります。手作業である程度の作成は可能ですが、細かい条件に沿ったデータを作成するとなると、時間も労力も必要となります。このような作業は、ChatGPTにお任せしてしまいましょう。条件を指定するだけで、すばやく作成してもらうことができます。

架空のカフェの1週間分の販売データのダミーを作成してください。その際、売上商品と個数、単価も示してください。なお、週末は売上が倍近く上がる傾向でお願いします。

架空のカフェの1週間分の販売データのダミーを以下に示します。週末（土曜日と日曜日）は売上が倍近く上がるという条件に従います。

日付	売上商品	個数	単価	売上金額
2023-09-04	コーヒー	50	300円	15,000円
2023-09-04	サンドイッチ	30	450円	13,500円
2023-09-05	コーヒー	45	300円	13,500円
2023-09-05	サンドイッチ	25	450円	11,250円
2023-09-07	サンドイッチ	40	450円	18,000円
2023-09-08	コーヒー	55	300円	16,500円
2023-09-08	サンドイッチ	30	450円	13,500円
2023-09-09	コーヒー	75	300円	22,500円
2023-09-09	サンドイッチ	45	450円	20,250円
2023-09-10	コーヒー	90	300円	27,000円
2023-09-10	サンドイッチ	50	450円	22,500円

週末（2023-09-09から2023-09-10）の売上が倍近く上がると仮定しました。コーヒーとサンドイッチがカフェの主要な商品で、売上金額は個数と単価から計算されています。このダミーデータは、架空のカフェの売上データの一例です。

ダミーデータの出力後に「CSV形式で出力してください。」と指示すると、カンマを付けたCSV形式のテキストで再度出力されます。<Copy code>をクリックするとパソコンのクリップボードにコピーされるので、メモ帳に保存したり、Excelなどに貼り付けたりして利用することができます。

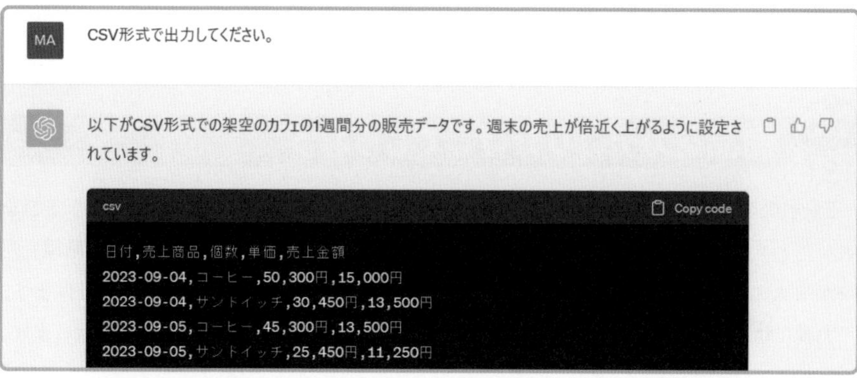

さらに出力されたダミーデータに条件を追加して、より希望に沿ったデータを出してもらうこともできます。

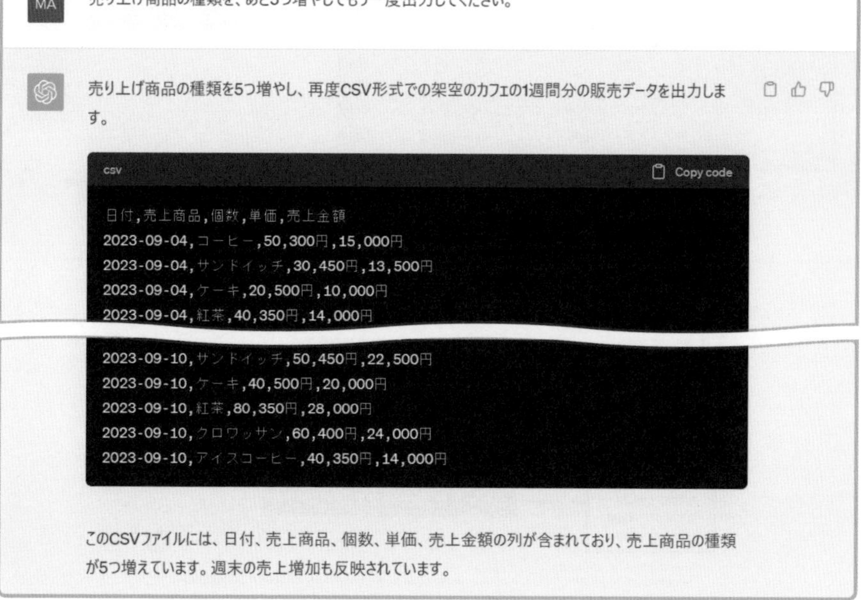

43 Excelの商品一覧表のカテゴリ分けをしてもらおう

カテゴリ分類が必要なものはChatGPTに作業してもらいましょう。コピー＆ペーストを利用すれば、Excelでの表データ作業も可能です。

商品をカテゴリ分けしてもらおう

Excelの商品一覧表にある商品を、ChatGPTにカテゴリ分けしてもらうことができます。たとえば、「種類」「メニュー」「価格」の項目がある商品一覧表のうち、「種類」だけが未入力のExcel表の場合、表全体をコピーし、ChatGPTの入力欄に貼り付けます。入力欄には、どのように分類してほしいかという情報と、表で出力するよう指示します。

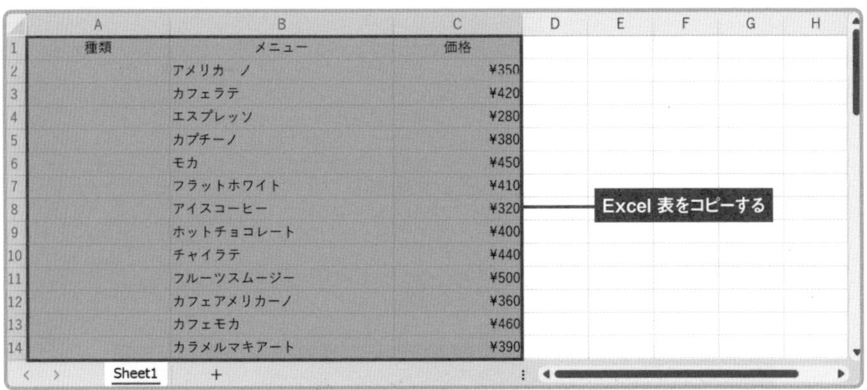

	A	B	C
1	種類	メニュー	価格
2		アメリカーノ	¥350
3		カフェラテ	¥420
4		エスプレッソ	¥280
5		カプチーノ	¥380
6		モカ	¥450
7		フラットホワイト	¥410
8		アイスコーヒー	¥320
9		ホットチョコレート	¥400
10		チャイラテ	¥440
11		フルーツスムージー	¥500
12		カフェアメリカーノ	¥360
13		カフェモカ	¥460
14		カラメルマキアート	¥390

Excel 表をコピーする
Sheet1

Compare design principles
for mobile apps and desktop software
Come up with concepts
for a retro-style arcade game
Brainstorm names
for my fantasy football team with a frog theme
Show me a code snippet
of a website's sticky header
以下の「メニュー」を参考に、「種類」を「コーヒー」「ティー」「そのほかのドリンク」のいずれかに分類して、「種類」の項目へ入れてください。出力は表でお願いします。
種類 メニュー 価格
アメリカーノ ¥350
カフェラテ ¥420
エスプレッソ ¥280
カプチーノ ¥380
コピーした表データを貼り付ける
Free Research Preview. ChatGPT may produce inaccurate information about people, places, or facts. ChatGPT August 3 Version

P.94の入力を送信すると、ChatGPTは指示通りに各商品をカテゴリ分けして、表形式で出力を行います。カテゴリ分けされたメニューは、それぞれの種類ごとに並び替えも行われます。

以下は、「コーヒー」「ティー」「そのほかのドリンク」に分類されたメニューの表です。

種類	メニュー	価格
コーヒー	アメリカーノ	¥350
コーヒー	カフェラテ	¥420
コーヒー	ハニーアイスラテ	¥410
コーヒー	アップルパイラテ	¥460
コーヒー	ピスタチオアイスクリームカフェ	¥490
ティー	アイスティー	¥320
ティー	チャイラテ	¥440
ティー	ピーチティー	¥340
ティー	レモンティー	¥320
そのほかのドリンク	フルーツスムージー	¥500
そのほかのドリンク	オレンジジュース	¥350
そのほかのドリンク	ベリースムージー	¥480
そのほかのドリンク	チョコチップフラペチーノ	¥460
そのほかのドリンク	ラズベリーレモネード	¥380

出力された表をコピーしてExcel側へ貼り付けると、引き続きExcel側でもそのまま利用して作業することができます。

	A	B	C	D	E	F	G	H
1	種類	メニュー	価格					
2	コーヒー	アメリカーノ	¥350					
3	コーヒー	カフェラテ	¥420					
4	コーヒー	エスプレッソ	¥280					
5	コーヒー	カプチーノ	¥380					
6	コーヒー	モカ	¥450					
7	コーヒー	フラットホワイト	¥410					
8	コーヒー	アイスコーヒー	¥320					
9	コーヒー	カフェアメリカーノ	¥360					
10	コーヒー	カフェモカ	¥460					
11	コーヒー	カラメルマキアート	¥390					
12	コーヒー	ブラックコーヒー	¥300					
13	コーヒー	ダブルエスプレッソ	¥320					
14	コーヒー	ホットアイスラテ	¥380	(Ctrl)				

Sheet1 +

44 ExcelでChatGPTを使ってみよう

ChatGPTは、Excelで用いる関数を作成するのはもちろんのこと、「ChatGPT for Excel」という無料のアドインを追加すれば、Excel（アプリ）と連携して活用することもできます。

Excel関数を作ってもらおう

表計算ソフト・Excelにはさまざまな関数があり、使いこなせれば業務効率も大幅にアップします。すべての関数について覚えておくのは大変ですが、ChatGPTに使用の目的を適切に伝えることで、Excelで使える関数を作成してもらうことが可能です。

ここでは、あらかじめChatGPTで表を作成したあと、「表の一番下に合計の行を作り、月ごとの合計を求めるExcel関数を作成してください。」と入力し、関数の作成を依頼しました。

そのほかにも、Excelでどの関数を使えばよいかたずねたり、関数の機能やどのように動作するのかアドバイスを受けることもできます。

表の一番下に合計の行を作り、月ごとの合計を求めるExcel関数を作成してください。

合計の行を作成し、月ごとの合計を求めるためには、SUM関数を使用します。以下に例を示します。

まず、表の下部に合計の行を追加します。セル A9 に「合計」と入力し、セル B9 から G9 までに合計の数式を入力します。

セル B9 に以下の数式を入力し、Enterキーを押してください。

scss　Copy code

```
=SUM(B2:B8)
```

アドインをExcelに追加しよう

「ChatGPT for Excel」という無料のアドインをExcelに追加するだけで、Excel上でChatGPTを利用できるようになります。なお、アドインの追加には、あらかじめChatGPTのアカウント登録（Sec.09参照）が必要です。

1

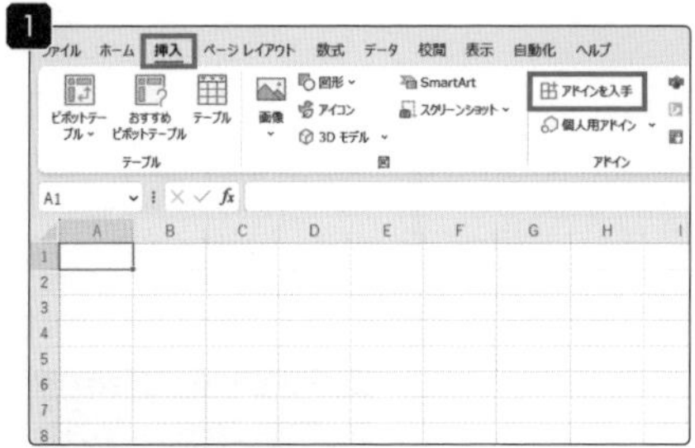

Excelアプリを起動し、＜挿入＞タブをクリックして、＜アドインを入手＞をクリックします。

2

「Officeアドイン」画面が表示されます。検索欄に「ChatGPT」と入力し、🔍をクリックします。

3

「ChatGPT for Excel」の＜追加＞をクリックします。

4

「ChatGPT for Excel」の画面が表示されるので、＜続行＞をクリックします。

5

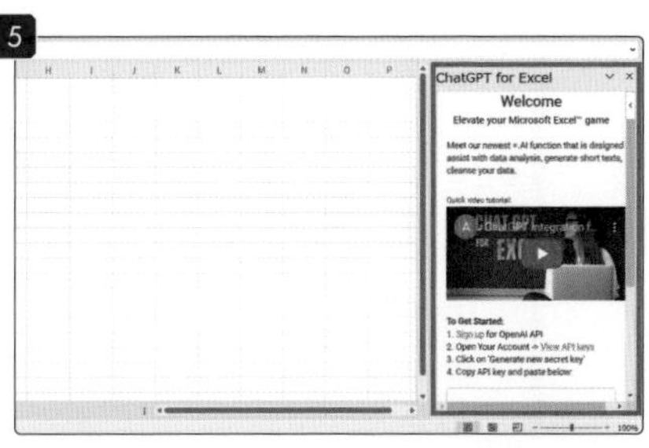

「ChatGPT for Excel」がExcelに追加され、「ChatGPT for Excel」のウィンドウが表示されます。

6

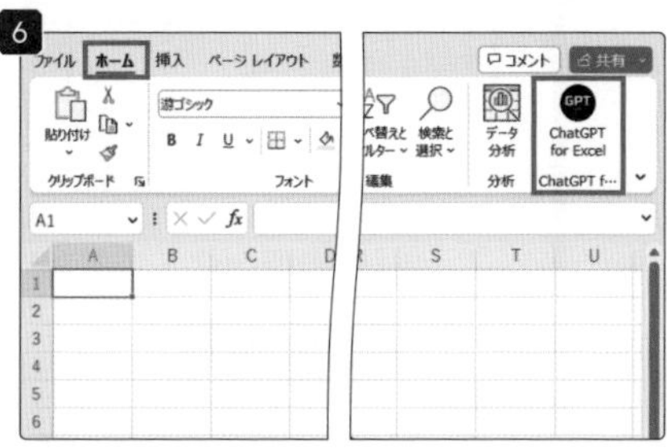

次回起動時からは、＜ホーム＞→＜ChatGPT for Excel＞の順にクリックすると手順❺の画面が表示されます。

アドインにAPIキーを設定しよう

「ChatGPT for Excel」のアドインからChatGPTを利用するにはAPIキーを取得し、アドインに設定する必要があります。その方法をここで紹介します。

なお、APIキーが第三者に知られてしまうとChatGPTを無断で利用されてしまう恐れがあるため、取り扱いには注意しましょう。

1

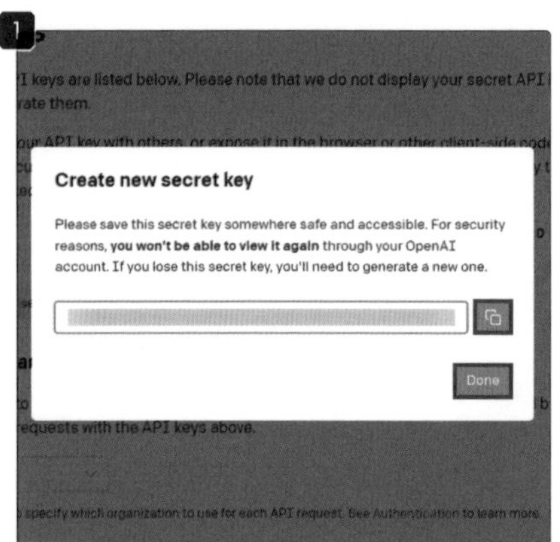

P.24を参考にAPIキーを発行し、をクリックしてコピーします。メモ帳などにペーストして保存しておきましょう。<Done>をクリックし、画面を閉じます。

2

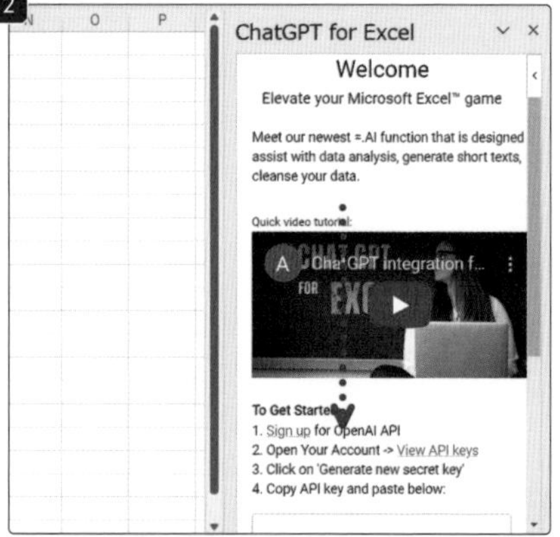

Excelを起動し、P.97手順❻を参考に画面右側に「ChatGPT for Excel」の作業ウィンドウを表示したら、下方向にスクロールします。

3

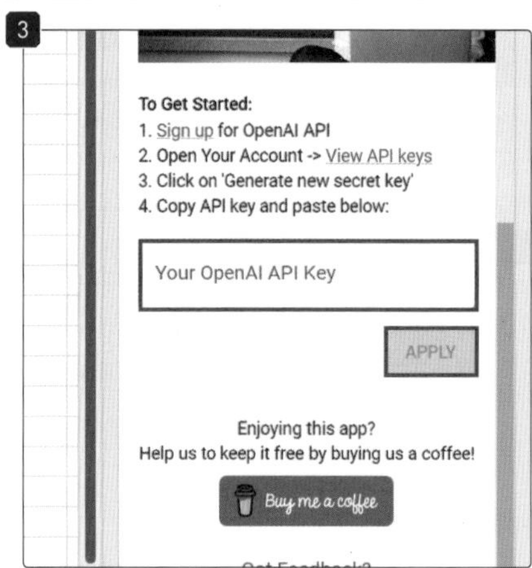

「Your OpenAI API Key」にP.98手順❶でコピーしたAPIキーをペーストし、<APPLY>をクリックします。

4

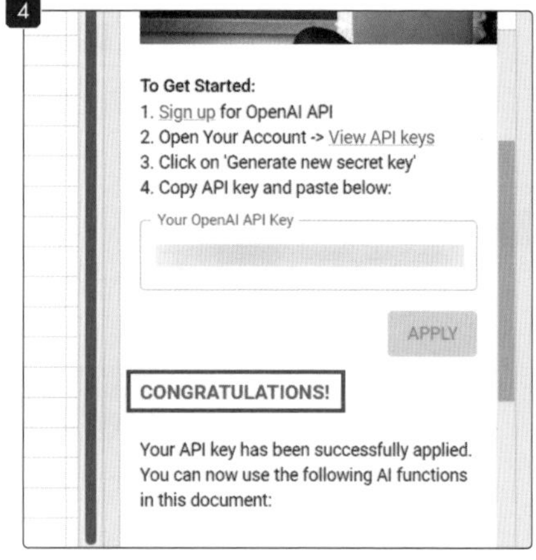

「CONGRATULATIONS！」と表示されたら、APIキーの設定は完了です。

ChatGPT for Excelで関数を使ってみよう

「ChatGPT for Excel」アドインにAPIキーをセットすると、「AI.ASK関数」「AI.LIST関数」「AI.FILL関数」を利用できるようになります。ここではそれぞれの関数について簡単に紹介します。

まず、「AI.ASK関数」はセルに質問を入力しておくと、引数にそのセルを指定するだけでChatGPTからの回答を得ることができる関数です。なお、関数を入力して確定したあと、「#Bビジー！」と表示された場合は読み込み中のため、結果が反映されるまで少し待ちましょう。

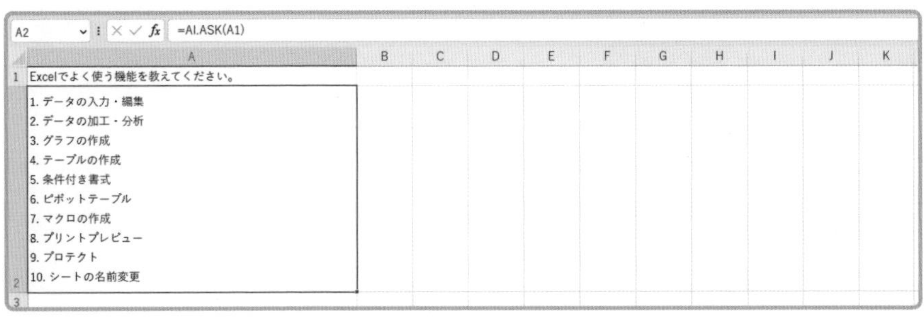

A2 =AI.ASK(A1)

	A
1	Excelでよく使う機能を教えてください。
2	1. データの入力・編集 2. データの加工・分析 3. グラフの作成 4. テーブルの作成 5. 条件付き書式 6. ピボットテーブル 7. マクロの作成 8. プリントプレビュー 9. プロテクト 10. シートの名前変更
3	

「AI.LIST関数」は、以下のように質問内で回答の数を指定すると、指定通りの数でリストを作成し、回答を生成します。

「AI.FILL関数」は、入力済みの項目を指定すると、その内容から予測して表の値を埋めることができる関数です。

A2 =AI.LIST(A1)

	A
1	Excelで便利な関数を箇条書きで5つ教えてください。
2	1. SUM：複数の値の合計を求める
3	2. AVERAGE：複数の値の平均を求める
4	3. COUNT：値が入力されているセルの数を数える
5	4. MAX：複数の値の最大値を求める
6	5. MIN：複数の値の最小値を求める
7	

B4 =AI.FILL(A2:B3,A4:A6)

	A	B
1	Excelで便利な関数を箇条書きで5つ教えてください。	
2	1. SUM：複数の値の合計を求める	例：SUM（A1:A3）
3	2. AVERAGE：複数の値の平均を求める	例：AVERAGE（A1:A3）
4	3. COUNT：値の数を数える	例：COUNT（A1:A3）
5	4. MAX：最大値を求める	例：MAX（A1:A3）
6	5. MIN：最小値を求める	例：MIN（A1:A3）
7		

45 プレゼン用スライドの下書きを作ってもらおう

プレゼン資料の作成をChatGPTに手伝ってもらうことで、作業時間を短縮して業務効率化を実現することができます。スライド作成を例に解説します。

PowerPointの下書きを作成してもらおう

会議や研修などで使うプレゼン用スライド（PowerPointで作成）の下書きを、ChatGPTに依頼しましょう。はじめにプレゼン資料のテーマや使用意図など条件を詳細に伝え、全体の構成案の見出しを挙げてもらいます。ここでは、「テーマは「製品ラインと競合状況の概要」」「90分の新入社員向け研修会の1コーナー利用のため、イントロダクションやアジェンダは入れない」「20分以内で完結できる内容にする」「スライド数は指定しないが時間内に収まる適正な数にする」を条件に生成を指示しました。

以下の条件に合うプレゼン用PowerPointファイルの各スライドのタイトルを作成してください。

・テーマは「製品ラインと競合状況の概要」
・90分の新入社員向け研修会の1コーナー利用のため、イントロダクションやアジェンダは入れない
・20分以内で完結できる内容にする
・スライド数は指定しないが時間内に収まる適正な数にする

以下は、製品ラインと競合状況の概要に関するPowerPointプレゼンテーションの各スライドのタイトルの提案です。スライド数は20分以内に収まるように適切に調整してください。

1. イントロダクション
2. 製品ライン概要
3. 製品ポートフォリオ
4. 製品特徴と利点

18. リソースと参考文献
19. おわりに
20. 質問とフィードバックセッション

これらのスライドタイトルを使用して、研修会の内容に合わせて詳細なコンテンツを作成し、20分以内に完結できるようにプレゼンテーションを構築してください。

各スライドの見出しが提案されたら、1つずつ「スライド●について、もっと具体的で詳細な内容を教えてください。」のように、詳細を聞き出しましょう。提案されたテキストを部分的に適宜カスタマイズして、利用できるように整えていきます。

MA　スライド4について、もっと具体的で詳細な内容を教えてください。

もちろん、スライド4の「製品特徴と利点」についてもっと具体的な内容を提供します。このスライドでは、製品ラインの主要な製品の特徴とそれに伴う利点を説明するのが目的です。以下はスライド4の具体的な内容の提案です：

スライド4: 製品特徴と利点

- **製品Aの特徴と利点**
  - 特徴1: 高品質な材料と耐久性
    - 利点: 長寿命でメンテナンスコスト削減
  - 特徴2: ユーザーフレンドリーなインターフェース
    - 利点: 簡単な操作でトレーニング時間の削減
  - 特徴3: 高性能と高速な処理能力
    - 利点: 生産性の向上と作業の迅速化
- **製品Bの特徴と利点**
  - 特徴1: エコフレンドリーな設計と省エネルギー

さらに「スライド●に載せる適正な画像を提案してください。」と入力することで、各スライドに掲載する画像についても提案してもらえます。

MA　スライド4に載せる適正な画像を提案してください。

スライド4に載せる適切な画像は、製品の特徴や利点を視覚的に強調するものであるべきです。以下はスライド4に適した画像の提案です：

1. **製品Aの特徴と利点のイメージ**
   - 例えば、製品Aの高品質な材料や耐久性を示す製品の拡大写真。
   - ユーザーフレンドリーなインターフェースを強調するために、製品のスクリーンショットやユーザーが製品を使用するイメージ。
   - 高性能と高速な処理能力を示すグラフや数字の図表。
2. **製品Bの特徴と利点のイメージ**
   - エコフレンドリーな設計を示す環境に優しいイメージ、例えば、緑の自然背景や再生可能エネルギーのアイコン。

46 プログラムコードのレビューをしてもらおう

ChatGPTは、プログラムを書くことも得意です。自然言語の理解力が高いので、私たちは難しい専門用語を使わず、指示したり質問したりすることができます。

プログラムコードのエラーを指摘してもらおう

ChatGPTは、作成したプログラムコードに誤りがあれば、間違いのある箇所を指摘し、正しいコードに修正をしてくれます。

ここでは、「このコードで、バグが発生しました。どこが間違っていますか？」と入力したあとに、問題のプログラムコードを入力して、ChatGPTにプログラムコードをチェック、修正してもらいました。

このコードで、バグが発生しました。どこが間違っていますか？
name = input("あなたの名前は何ですか？ ")
rint("こんにちは、" + name + "さん！")

提供されたコードには、2つの問題があります。

1. `print`のスペルが間違っています。正しいスペルは「print」です。したがって、`rint`を`print`に修正する必要があります。

修正後のコードは以下のようになります。

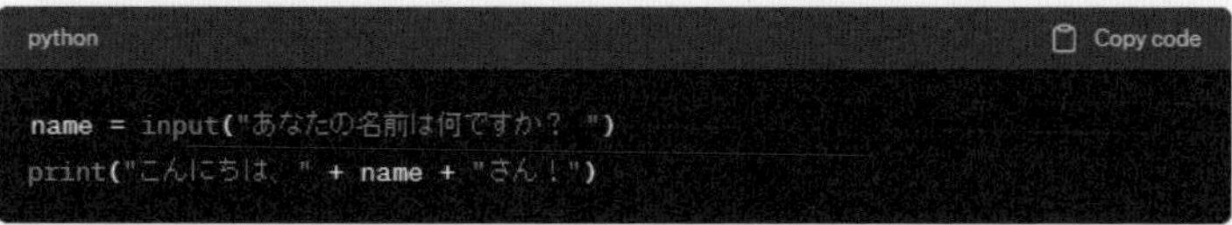

```python
name = input("あなたの名前は何ですか？ ")
print("こんにちは、" + name + "さん！")
```

2. 「あなたの名前は何ですか？」という入力プロンプトが日本語ですが、スクリプトの実行環境が日本語に対応していない場合、エラーが発生する可能性があります。この場合、プロンプトを英語に変更するか、適切な日本語環境をセットアップする必要があります。

ただし、提供されたコードではそれ以上の構文上のエラーは見つかりません。修正後のコードは正常に動作するはずです。

ChatGPTに、既存のプログラムコードの内容を説明してもらうこともできます。より詳しく説明してもらうには、コードが作成された背景、言語、目的など、詳細をできるだけ記入することで、より高い精度の回答を得ることができます。

MA

下記は、Python言語を使用したゲームに関するプログラムコードです。内容を教えてください。

```
import random

choices = ["Rock", "Paper", "Scissors"]

player_choice = input("Enter your choice (Rock, Paper, or Scissors): ").capitalize()
computer_choice = random.choice(choices)

print("Player chooses:", player_choice)
print("Computer chooses:", computer_choice)

if player_choice == computer_choice:
  print("Draw")
elif (player_choice == "Rock" and computer_choice == "Scissors") or (player_choice ==
"Paper" and computer_choice == "Rock") or (player_choice == "Scissors" and
computer_choice == "Paper"):
  print("Player wins!")
else:
  print("Computer wins!")
```

このプログラムコードは、じゃんけんゲームをPythonで実装しています。以下にコードの内容を説明します。

1行目: `random` モジュールをインポートします。ランダムな選択を生成するために使用されます。

3行目: `choices` というリストを作成します。このリストには、「Rock」、「Paper」、「Scissors」という要素が含まれています。これらはプレーヤーとコンピュータの選択肢として使用されます。

5行目: プレーヤーに対して「Rock」、「Paper」、「Scissors」のいずれかを入力するように促すメッセージが表示されます。`input` 関数を使用してユーザーの入力を取得し、`capitalize` メソッドを使用して入力された文字列を最初の文字が大文字、他の文字が小文字の形式に変換します。

6行目: `random.choice` 関数を使用して、コンピュータの選択をランダムに生成します。

8行目: プレーヤーの選択とコンピュータの選択を表示します。

10行目から13行目: プレーヤーの選択とコンピュータの選択を比較し、結果を表示します。

- もしプレーヤーの選択とコンピュータの選択が同じであれば、引き分けと表示されます。
- そうでなければ、条件式を使用して、プレーヤーが勝利する条件をチェックし、その結果に応じて「Player wins!」または「Computer wins!」と表示されます。

このプログラムは、プレーヤーが入力した選択とコンピュータのランダムな選択を比較し、じゃんけんの結果を表示します。

47 アルゴリズムをコード化してもらおう

ChatGPTでは、プログラム言語やプログラムについての詳細などをこちらで指定することで、それに基づいたプログラムコードを作成してもらうことも可能です。

プログラムコードを作ってもらおう

ChatGPTは、一からプログラムコードを作成してくれます。プログラム言語の指定と、どのようなプログラムを書きたいかといった、具体的な要件や目的を入力すると、入力者の指示通りにコードを書いてくれます。

ここでは、「Python言語を使用した基本的な文字列処理プログラムを書いて。」と入力し、ChatGPTに簡単なプログラムを書いてもらいました。以下がその一例になります。

MA Python言語を使用した基本的な文字処理プログラムを書いて。

Pythonを使用して基本的な文字処理プログラムを書くことは非常に簡単です。以下は、文字列から特定の操作を行う簡単な例です。この例では、文字列から文字の数を数えたり、文字列を逆順にしたりします。

python Copy code

```python
# 文字列を入力として受け取る
input_string = input("文字列を入力してください: ")

# 文字列の長さ（文字の数）を数える
length = len(input_string)
print(f"入力された文字列の長さは {length} 文字です。")

# 文字列を逆順にする
reversed_string = input_string[::-1]
print(f"逆順にした文字列: {reversed_string}")
```

このプログラムは、ユーザーから文字列を入力し、その文字列の長さを数えて表示し、また文字列を逆順にして表示します。

例:

makefile Copy code

既存のプログラムコードを、別の言語に書き換えることもできます（たとえば、PythonからJavaやJavaScript）。また、その際にはプログラムコードの内容の説明まで行ってくれます。

48 Pythonコードで作業を自動化してもらおう

ChatGPTのデータベースには、Pythonのコードも蓄積されています。自動化したい作業を入力すると、実行するための手順やコードを生成してもらうことが可能です。

Pythonコードを作ってもらい作業を自動化しよう

ChatGPTは、プログラミング言語である「Python」のコードもデータとして大量にインプットされているため、Pythonのコードも書いてもらうことができます。

そのため、Pythonで自動化したい作業内容をChatGPTにたずねると、コードを生成してもらえます。

ただし、コードの正確性やセキュリティ面で安全かどうかの信頼性の部分にはまだ不安が残るため、必要に応じてコードの調整をしなければなりません。

ここでは、「Pythonで数量データを自動で入力・転記する方法を教えてください。」と入力し、ChatGPTにPythonコードの作成を依頼しました。

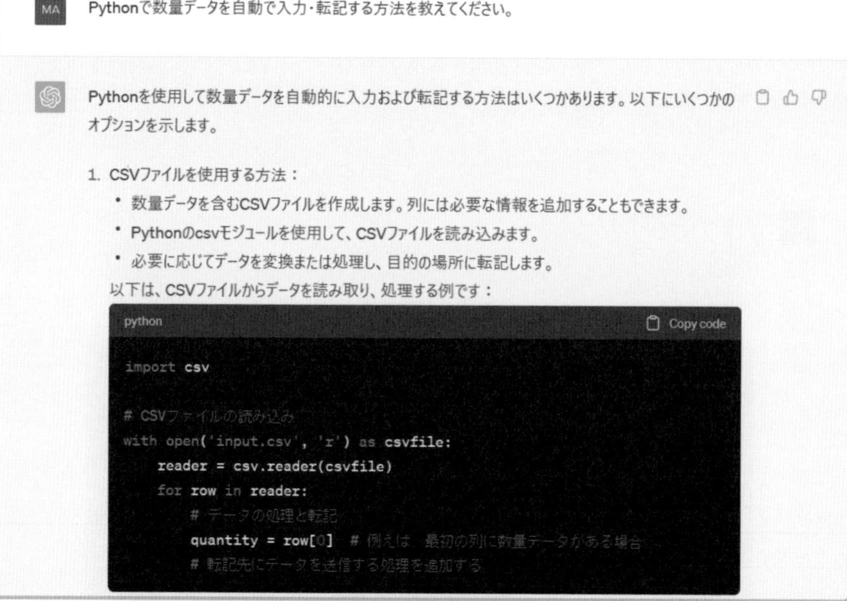

また、ChatGPTに自動化したい作業内容を入力して質問すると、以下のように実現までに必要なフローを示したうえで、Pythonのコード例を生成してもらえる場合もありますので、ぜひためしてみましょう。

MA ファイルを画像ファイルとテキストファイルで分けて自動で保存する方法を教えてください。

ファイルを画像ファイルとテキストファイルで分けて自動的に保存するためには、以下の手順を実行することができます。

1. フォルダ内のすべてのファイルを取得します。
2. 各ファイルを順番に処理します。
3. ファイルの種類を判別します。一般的な方法は、ファイルの拡張子を確認することです。
4. ファイルが画像ファイルである場合は、画像ファイル用のフォルダに保存します。
5. ファイルがテキストファイルである場合は、テキストファイル用のフォルダに保存します。
6. 上記の手順をすべてのファイルに対して繰り返します。

以下は、Pythonでこの処理を行う例です。

python　Copy code

```python
import os
import shutil

# 元のフォルダと保存先のフォルダを指定します
folder_path = "/path/to/folder"
image_folder = "/path/to/image/folder"
text_folder = "/path/to/text/folder"

# フォルダが存在しない場合は作成します
os.makedirs(image_folder, exist_ok=True)
os.makedirs(text_folder, exist_ok=True)

# フォルダ内のすべてのファイルを取得します
files = os.listdir(folder_path)

# ファイルごとに処理します
for file in files:
    # ファイルの絶対パスを取得します
    file_path = os.path.join(folder_path, file)

    # ファイルの種類を判別します
    if file.lower().endswith((".jpg", ".jpeg", ".png", ".gif")):
        # 画像ファイルの場合、画像フォルダに保存します
        shutil.move(file_path, os.path.join(image_folder, file))
    elif file.lower().endswith((".txt", ".csv")):
        # テキストファイルの場合、テキストフォルダに保存します
        shutil.move(file_path, os.path.join(text_folder, file))
```

49 ほかの生成系AIと連携して使ってみよう

多くの画像生成AIではプロンプト（指示）をテキストで入力します。描きたいもののイメージが抽象的な場合、ChatGPTと連携することで具体的な表現に変更することができます。

ChatGPTに画像生成AIのプロンプトを書いてもらおう

入力したテキスト（プロンプト）をもとにぴったりな画像を提案してくれるAIのことを画像生成AIと呼びます。

代表的な画像生成AIには現在、コミュニケーションアプリDiscordを利用する「Midjourney」（Sec.57参照）や、Webサービスなどから無料で利用できる「Stable Diffusion」（Sec.58参照）などがあります。

ただ、開発国が海外であることが大多数のため、2023年9月時点で、日本語に対応していないサービスがほとんどです。したがって、画像生成AIのサービスでは、プロンプトを英単語や英文で作成する必要があります。

ChatGPTに画像生成AIのプロンプトを英語で作成してもらいたいときは、①ChatGPTへの質問を英文で入力して英語で回答してもらう、②ChatGPTに日本語で質問をして回答をさらに翻訳してもらう、などの方法が考えられます。

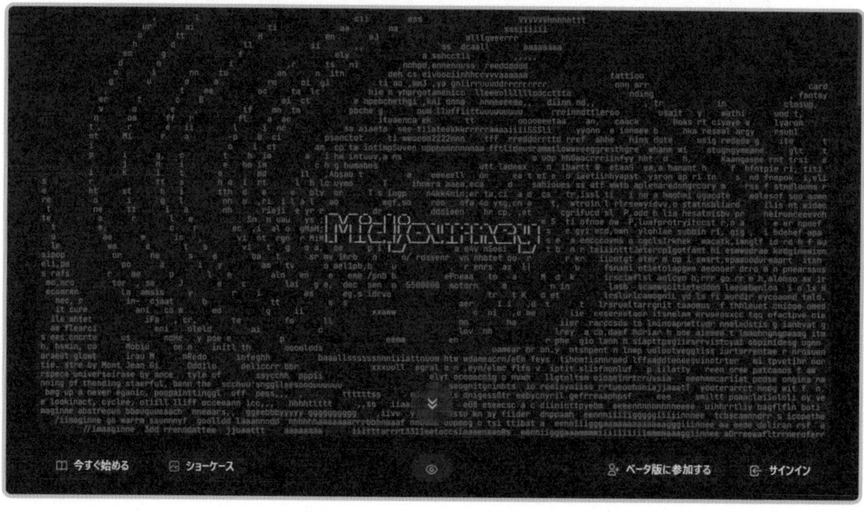

ChatGPTに画像生成AIのプロンプトを書いてもらうことで、頭の中のイメージだけでは思い付かなかった具体的な描画指示を、的確にピックアップしてもらうことが可能です。ここでは、「「遊んでいる子猫」のイラストを作成します。イラストのイメージとなる単語を10個教えてください。」と入力し、ChatGPTに画像生成AIのプロンプトのもとになるテキストの作成を依頼しました。

MA 「遊んでいる子猫」のイラストを作成します。イラストのイメージとなる単語を10個教えてください。

素敵ですね！「遊んでいる子猫」のイラストを作成するためのイメージとなる単語を10個教えていただければと思います。以下の単語を参考にしてください：

1. 子猫
2. 遊ぶ
3. おもちゃ
4. ジャンプ
5. ボール
6. しっぽ
7. かわいい
8. 楽しい
9. 爪とぎ
10. ニャーニャー

これらの単語を基に、活発でかわいらしい子猫が遊びながら楽しそうにジャンプしたりおもちゃで遊んだりしているイラストが描けると思います。どうぞ楽しんで描いてください！

MA ありがとうございます。上の単語を英語に翻訳してください。

もちろんです！以下に単語の英語訳を示します：

1. 子猫 - Kitten
2. 遊ぶ - Play
3. おもちゃ - Toy
4. ジャンプ - Jump
5. ボール - Ball
6. しっぽ - Tail
7. かわいい - Cute
8. 楽しい - Fun
9. 爪とぎ - Scratching post
10. ニャーニャー - Meow

これらの単語を使って、「遊んでいる子猫」のイラストを描くことができます。どうぞご活用ください！

また、以下のように描きたいイラストを入力して、姿や様子を具体的に説明してもらうように依頼すると、画像生成AIに作品を仕上げてもらうために必要な情報をテキスト形式で提示してもらうことが可能です。

MA

大きな茶色い熊が遡上する鮭を捕まえた姿を具体的に短く説明してください。

大きな茶色い熊が川の中を慎重に進み、水面に飛び込む鮭の群れを見つけます。熊は鮭のすぐ上流に位置を取り、巧妙な動きでその鮭を待ちます。一瞬の隙を突いて、熊は巧みなパワーと俊敏さで鮭を掴みます。巨大な脚力を駆使し、水しぶきを上げながらも、熊は確実に鮭を掴んで岸に向かって進みます。そして、熊は力強く顎で鮭を捕まえ、満足そうに食事を始めるのでした。

ChatGPTに入力する際に、あらかじめ「英語で」というような指示を盛り込んでおくと、入力したテキストに対して英語で回答を得ることができます。翻訳の手間を省きたい場合はこちらの方法もおすすめです。

MA

大きな茶色い熊が遡上する鮭を捕まえた姿を具体的に短く、英語で説明してください。

The large brown bear carefully makes its way through the river, spotting a school of leaping salmon. Positioned just upstream, the bear patiently waits, poised for action. Seizing the perfect moment, it swiftly snatches a salmon with skillful precision. Utilizing its immense strength and agility, the bear powers through the water, creating a spray of splashes, steadily heading towards the shore. Finally, with a mighty grip of its jaws, the bear secures the salmon and begins its satisfying feast.

Chapter 5

スマホやChrome拡張機能を活用してみよう

50 ChatGPTアプリを使ってみよう

スマホからChatGPTを使いたい場合は、音声入力ができるChatGPTアプリがおすすめです。シンプルな操作でチャットができるので、ぜひ利用してみましょう。

iPhoneにChatGPTアプリをインストールしよう

1

iPhoneでApp Storeを起動し、<検索>をタップして、検索欄をタップします。

2

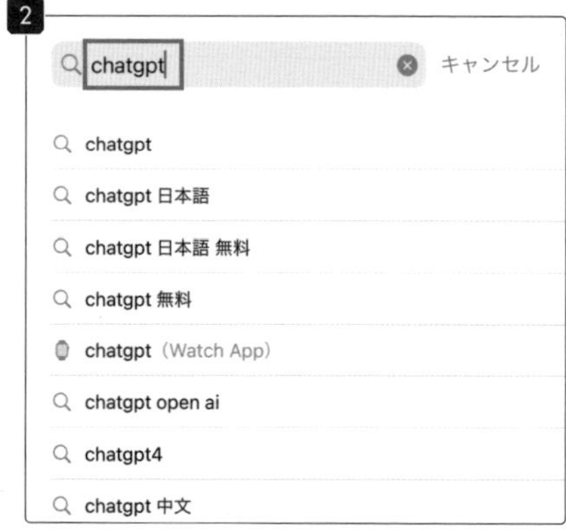

検索欄に「chatgpt」と入力し、アプリを検索します。

3

検索候補に上の画像と同じ「ChatGPT」が表示されます。タップするとアプリの詳細が表示されます。

4

提供元（デベロッパ）がOpenAI社であることを確認し、<入手>をタップしてインストールします。

AndroidにChatGPTアプリをインストールしよう

1

Androidで<Playストア>をタップして起動します。

2

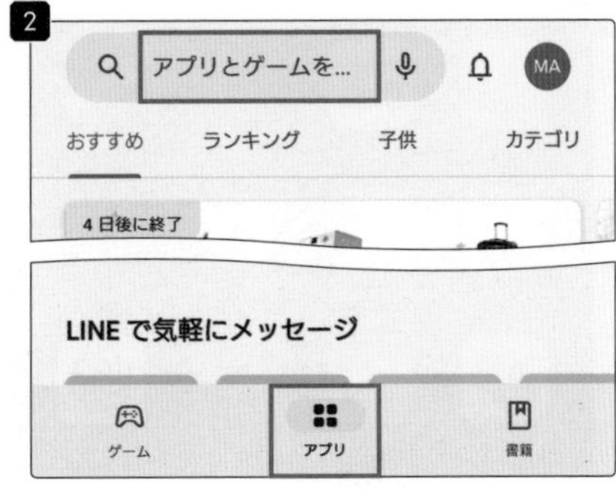

<アプリ>をタップし、検索欄をタップします。

3

検索欄に「chatgpt」と入力し、アプリを検索します。

4

検索候補に上の画像と同じ「ChatGPT」が表示されます。タップするとアプリの詳細が表示されます。

5

提供元がOpenAI社であることを確認し、<インストール>をタップします。

6

<開く>または、ホーム画面でアイコンをタップすると、アプリが起動します。

ChatGPTアプリでアカウントの登録をしよう

1

<ChatGPT>をタップして起動します。

2

<Sign up with email>をタップします。

3

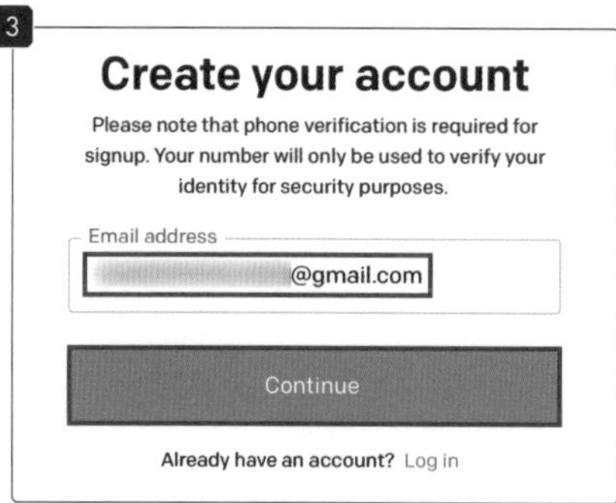

［Email address］にメールアドレスを入力し、<Continue>をタップします。

4

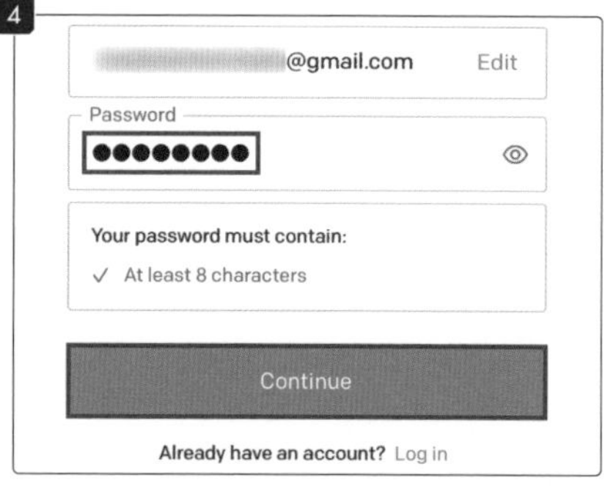

［Password］に8文字以上の任意のパスワードを入力し、<Continue>をタップします。

5

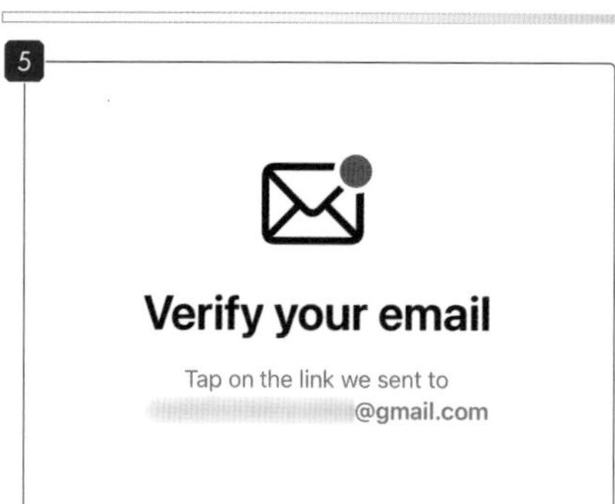

アプリ画面に「Verify your email」と表示されるので、登録したメールアドレスを確認し、認証メールの<Verify email address>をタップします。

6

Welcome to ChatGPT

This official app is free, syncs your history across devices, and brings you the latest model improvements from OpenAI.

以降はP.23手順❻～手順❽を参考に登録を続けます。最後に<Continue>をタップすると、チャットの初期画面（P.115手順❶の画面）が表示されます。

ChatGPTアプリを使ってみよう

1

ChatGPTアプリを起動し、画面下部の<Message>をタップします。

2

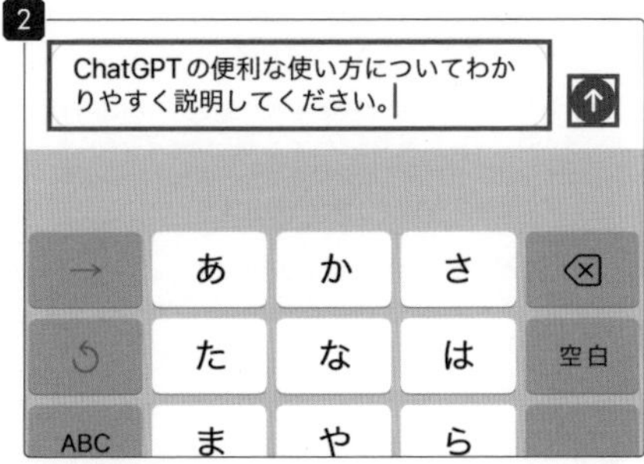

質問内容など（プロンプト）を入力し、⬆をタップします。

3

しばらくするとChatGPTの回答が表示されます。

4

iPhone版は、…をタップするとメニューが表示され、<New chat>で新しいチャットルームの作成、<History>でこれまでに作成したチャットルームへの移動ができます。

5

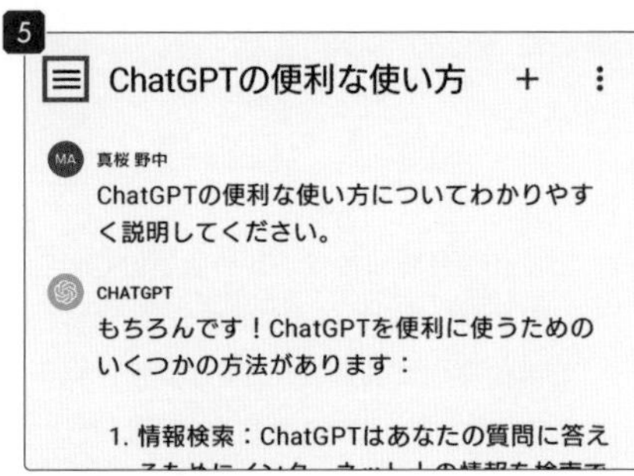

Android版は、≡をタップするとメニューが表示されます。

6

<New chat>（または手順5の画面の＋）で新しいチャットルームの作成、<History>でこれまでに作成したチャットルームへの移動ができます。

ChatGPTアプリで音声入力してみよう

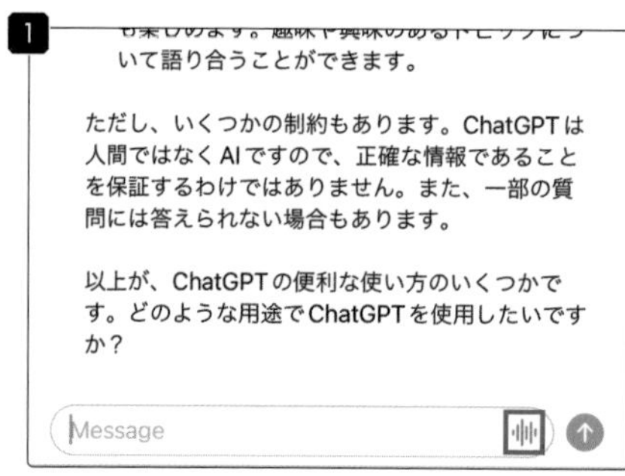

チャットルームで「Message」の右側にある（Androidの場合は左側にある）をタップします。

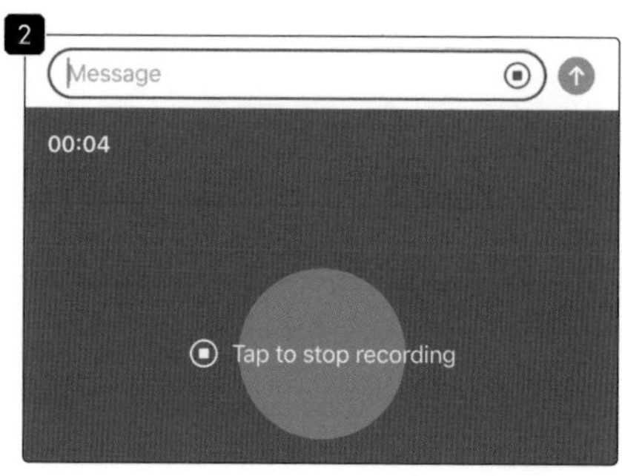

初回はマイクのアクセス許可が表示されるので許可します。スマホに向かって質問内容を話します。

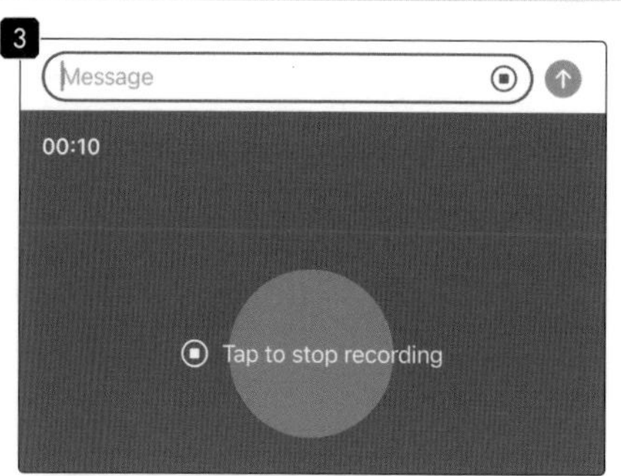

話し終えたら<Tap to stop recording>をタップします。

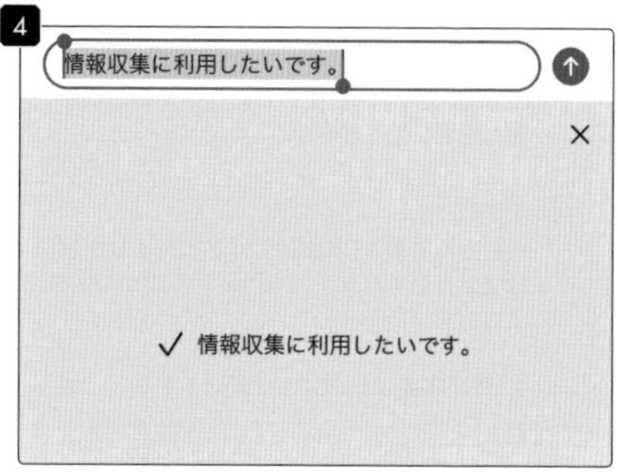

テキスト認識によって、入力欄にテキストが表示されます。をタップします。

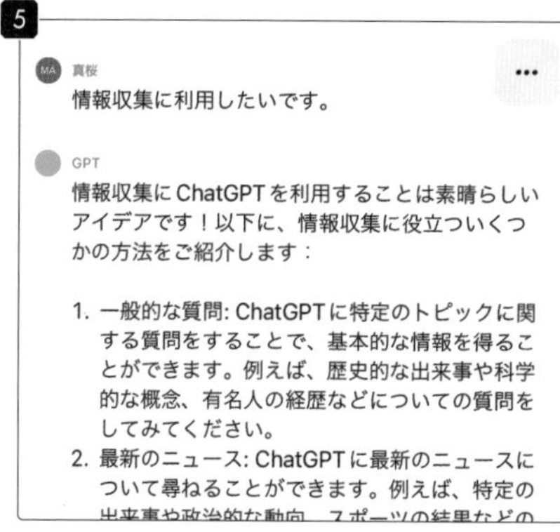

質問内容がChatGPTに送られ、しばらくすると回答が表示されます。

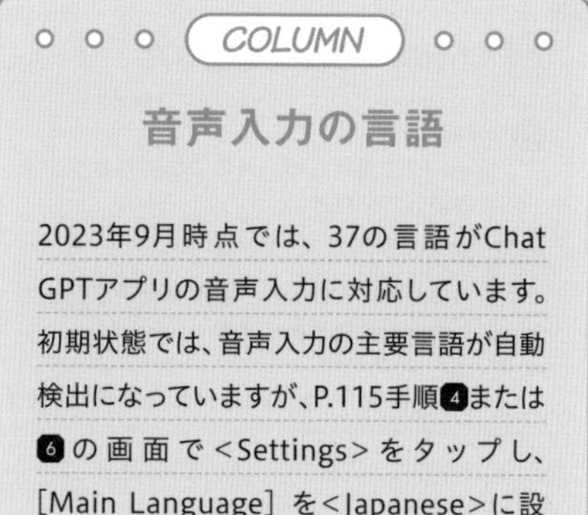

COLUMN

音声入力の言語

2023年9月時点では、37の言語がChatGPTアプリの音声入力に対応しています。初期状態では、音声入力の主要言語が自動検出になっていますが、P.115手順❹または❻の画面で<Settings>をタップし、[Main Language］を<Japanese>に設定することで精度を高められます。

51 LINEでChatGPTを使ってみよう

スマホで簡単にChatGPTをためしてみたいときには、LINEでChatGPTを利用できる「AIチャットくん」というサービスがおすすめです。実際に使ってみましょう。

AIチャットくんと友だちになろう

1

LINEを起動し、［ホーム］画面上部の<検索>をタップします。

2

検索欄に「aiチャットくん」と入力し<AIチャットくん>をタップします。

3

<追加>をタップすると、AIチャットくんのアカウントからトークが届きます。

4

［トーク］画面で<AIチャットくん>をタップします。

5

AIチャットくんのトークルームが表示されます。

6

画面下部のメニューから<キーボードを開いて話しかける>をタップします。

7

［メッセージを入力］欄に質問内容など（プロンプト）を入力し、➤をタップします。

8

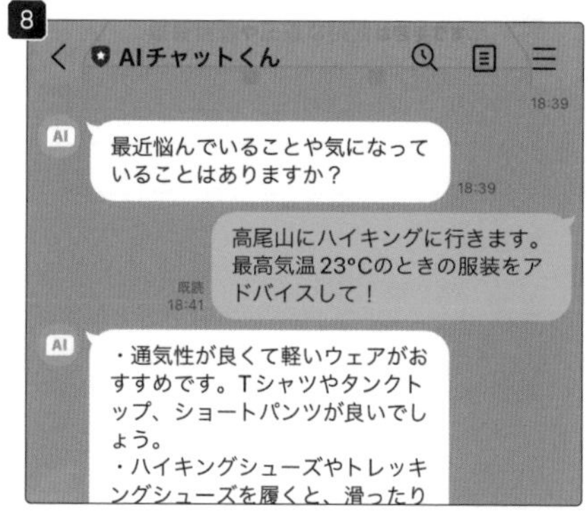

しばらくすると、AIチャットくんからの回答が届きます。

9

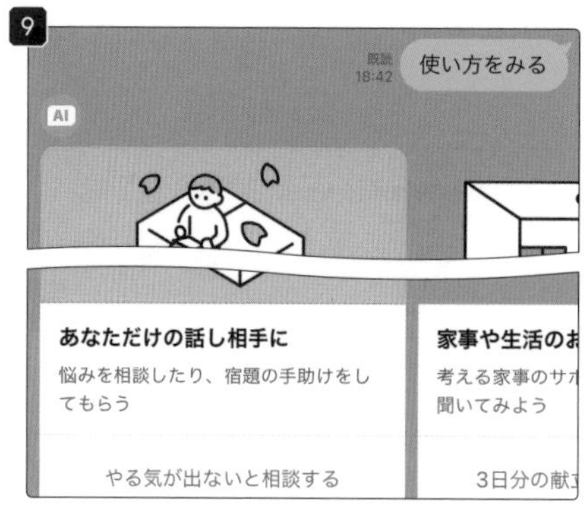

「使い方をみる」と送信すると、AIチャットくんの使用例が表示されます。例文をタップすると、簡単に質問できます。

10

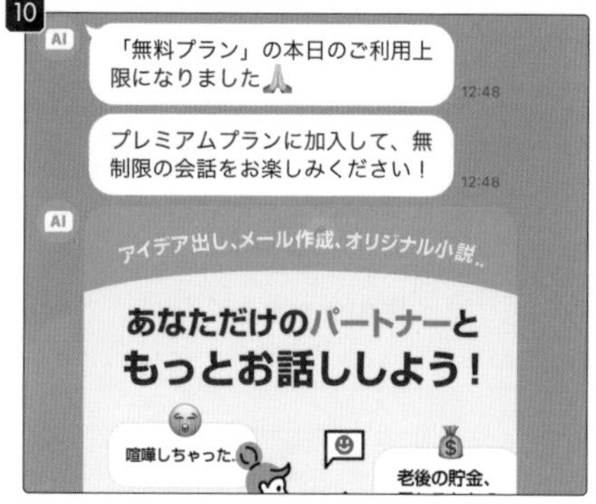

AIチャットくんは1日5回まで質問ができ、利用回数の制限を超えるとプレミアムプランの案内が表示されます。

52 ChromeとChatGPTを連携させよう

ChromeにChatGPTを連携させると、検索するたびにChatGPTからの回答も表示されるようになります。検索エンジンと合わせて補助的にChatGPTを活用できます。

Chromeに拡張機能を追加しよう

ChromeでChatGPTを利用するには、Chromeウェブストアから「ChatGPT for Google」を拡張機能としてChromeに追加する必要があります。

1

Chromeで「Chromeウェブストア（https://chrome.google.com/webstore/category/extensions）」にアクセスします。

2

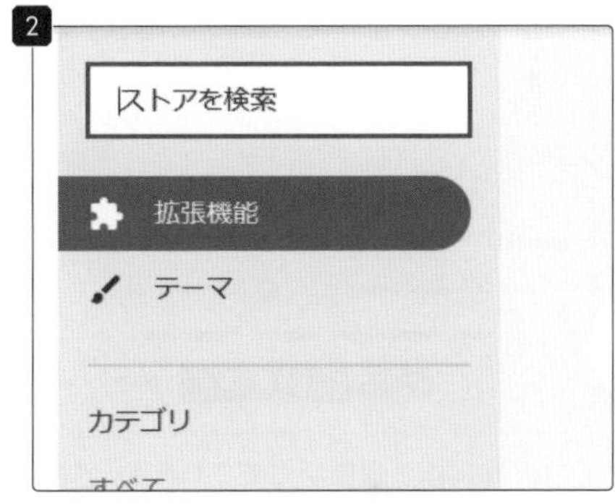

画面左上の＜ストアを検索＞をクリックします。

3

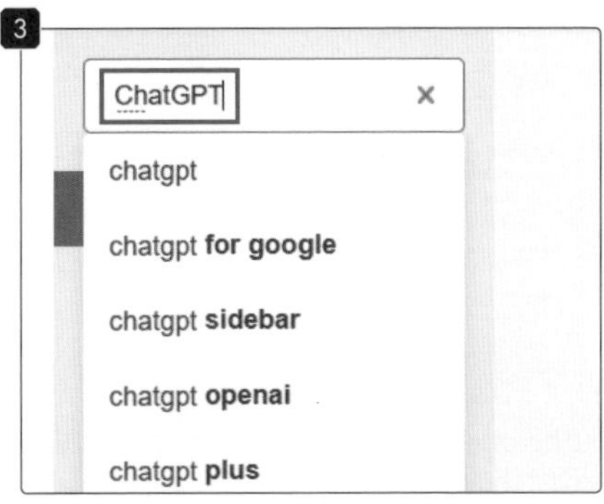

「ChatGPT」と入力し、Enterを押します。

4

＜ChatGPT for Google＞をクリックします。

＜Chromeに追加＞をクリックします。

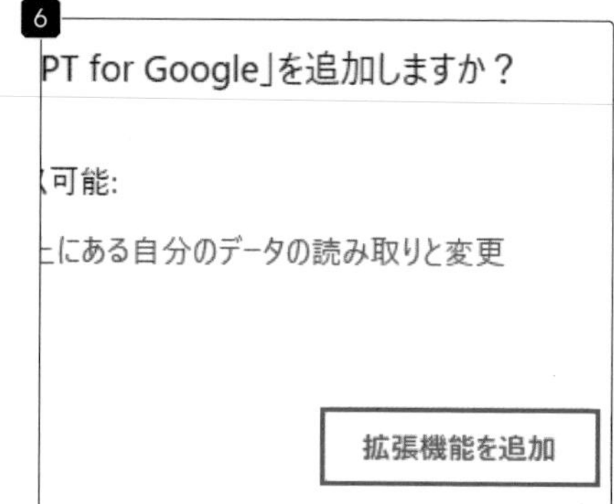

＜拡張機能を追加＞をクリックします。

Chromeに拡張機能が追加されます。＜オプションページ＞をクリックします。

＜ログイン＞をクリックします。

＜Googleでサインアップ＞をクリックします。

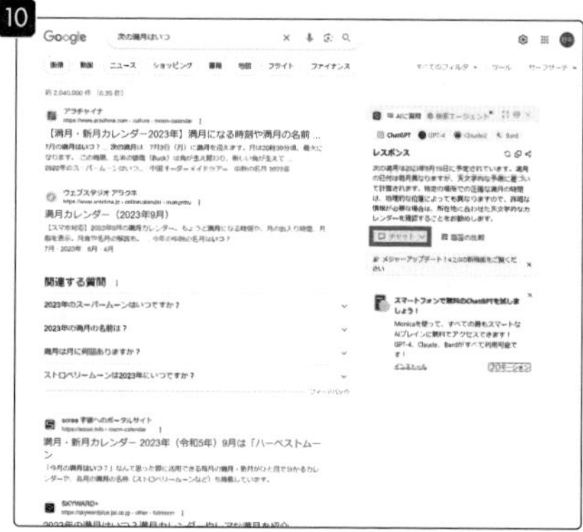

Chromeで検索すると、画面右側にChatGPTの回答が表示されます。＜チャット＞をクリックすると、追加質問も可能です。

53 そのほかのChromeの拡張機能を知ろう

「ChatGPT for Google」以外にも、ChatGPTと連携できるChromeの拡張機能がいくつか提供されています。ここでは、そのほかの拡張機能を2つ紹介します。

WebChatGPTを使ってみよう

「WebChatGPT」は、Chromeに追加することでChatGPTの回答にWebの検索結果を反映させることができる拡張機能です。

WebChatGPT: インターネットアクセスを備えたChatGPT　Chrome に追加
webchatgpt.app　おすすめ
★★★★★ 1,083 ⓘ ｜ 仕事効率化 ｜ ユーザー数: 1,000,000+ 人

「ChatGPT for Google」と同様に、Google検索結果の右横に回答を表示させるという機能もありますが、ChatGPTにWebブラウジング機能を直接付けることができるという点が大きな違いです。下図のように「Web access」がオンの状態でプロンプトを入力・送信すると、Webの検索結果を踏まえた最新情報が出力されます。

ChatGPT Glarityを使ってみよう

「ChatGPT Glarity」は、Googleの検索結果やYouTubeの動画、ニュースサイトなどを要約することができる拡張機能です。

検索の結果をまとめて要約し、検索結果の一覧の右側に表示してくれるほか、ニュース記事を表示した状態で画面右上に表示されるアイコン（）をクリックすると、Webページの要約をしてもらうことができます（下部画像上）。また、「ChatGPT Glarity」が有効になった状態でYouTubeの動画を再生すると、動画の内容を自動的に解析してくれます。動画の長さなどにもよりますが、30秒程度で解析が完了し、動画の要約とハイライトをわかりやすくまとめてもらえます。

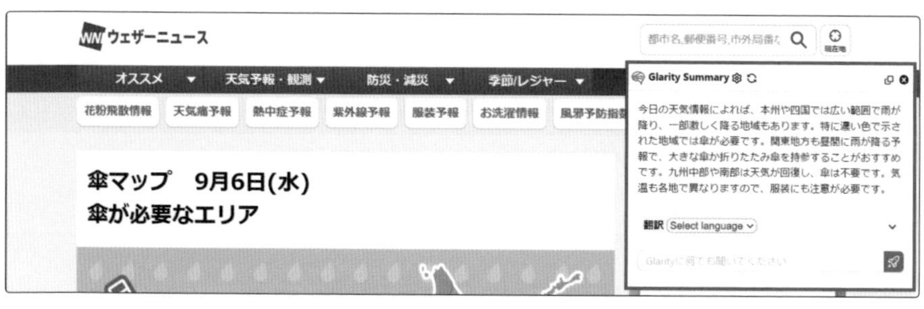

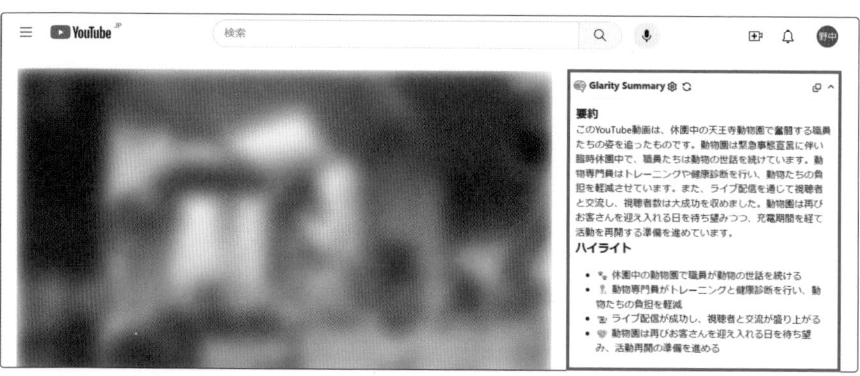

付録

そのほかの生成AIについて知ろう

54 OpenAI社が提供するそのほかのAI

OpenAI社が提供するAIツールには、ChatGPTのほかに、イラストを生成する「DALL・E2」、音声データから文字起こしをする「Whisper」などもあります。

イラスト生成ツールのDALL・E2

「DALL・E2（ダリツー）」とは、入力されたテキストから画像を生成するAIツールです。2022年4月に発表されました。GoogleアカウントやMicrosoftアカウントがあれば無料で始められます。

DALL・E2の特徴は、非現実的な内容でも画像として生成してくれる点です。たとえば「宇宙で水を飲む犬」などと入力しても、すべての要素を合わせた画像を生成します。また、生成した画像をもとに違うパターンの画像を数枚作ってもらうことも可能です。一部を修正したい、ニュアンスを少し変えたいといった場合に、一からやり直す必要なく、画像を取得できます。

なお、DALL・E2では有害なコンテンツを含む画像の生成が禁止されているため、著名人の名前などは検索用語として使用できないようになっています。生成した画像の商用利用は規約を遵守している場合に限り可能ですが、画像をダウンロードした場合は右下に5色の正方形が横に並ぶ透かしが入ります。これを除去することもできますが、公開する際に「AI（DALL・E2）が作品に関与していること」を言及するよう公式ではすすめています。

初期導入者向け無料クレジット付与は2023年4月6日で終了してしまったため、DALL・E2を利用するには、15ドルを支払って115回ぶんのクレジットを購入する必要があります。クレジットは、画像の新規生成時や修正時にテキスト（プロンプト）を1回送信するたびに1つ消費されます。つまり、115回ぶんのクレジットで最大115回新しい画像を生成できます。

DALL·E 2

DALL·E 2 is an AI system that can create realistic images and art from a description in natural language.

文字起こしツールのWhisper

「Whisper（ウィスパー）」は、2022年9月に発表された、文字起こしAIです。日本語を含む多言語の音声データを68万時間も学習しているため、高い精度で音声認識ができます。さまざまな国の言葉を理解できるので、文字起こしだけでなく、言語の識別などでも使用されます。文字起こししたテキストの翻訳も可能です。

WhisperはPythonで動かすことができますが、簡単にためしたいときは、オープンソースコミュニティ「Hugging Face」でOpenAI社が公開している体験ページ（https://huggingface.co/spaces/openai/whisper）の利用がおすすめです。体験ページでは、30秒以内で直接音声入力して、＜Transcribe＞をクリックすると、その場で文字起こしされるようになっています。

COLUMN

Googleが提供する「Bard」とは?

2023年2月、Google社からチャット形式で検索ができるAIツール「Bard」（https://bard.google.com/）が発表され、ChatGPTの対抗馬として関心を集めています。ChatGPTやBing（Sec.55参照）には、OpenAI社の言語モデル「GPT」シリーズが搭載されていますが、BardではGoogle社が独自開発した「PaLM 2」という言語モデルが採用されています。ChatGPTとの違いは、はじめから回答案が3つ用意されていることや、Web上の情報をリアルタイムで利用できることなどが挙げられます。そして、最新の情報について質問しても回答を得ることができます。さらに画像を含めた回答を表示してくれる機能もあります。しかし、まだ試験運用中であることから、ChatGPT同様、不正確な情報が提示される場合があるという注意喚起がなされています。Google社は、さらにBardの改良を進め、ほかのGoogleサービスとも連携する予定だとしています。

Bard 試験運用中　よくある質問

Bard なら、
おいしい卵焼きを
作るためのコツを教えてくれる

55 Bingとは?

「Bing」とはMicrosoft社の検索エンジンです。AIが搭載され、調べものをチャット形式で検索できるようになりました。ChatGPTとの違いやしくみについて解説します。

AI搭載の検索エンジンBing

「Bing（ビング）」とは、Microsoft社が提供している検索エンジンです。Bingでは、AIを活用してチャット形式で検索ができる「Bingチャット」の提供を始めました。日本語をはじめ100以上の言語に対応しており、無料で利用できます。チャット形式で検索できるのが特徴で、自分の希望する情報をピンポイントで探すことができるため、利用者も増えています。チャットは1つのトピックで30ターン、つまり質問と回答のやり取りを30回行えます。トピックを新しくするとターン数はリセットされますが、1日あたりの合計ターン数は300までに制限されており、合算されるしくみです。

また、Bingはスマホ版アプリも提供されています。調べものはもっぱらスマホで行うという人はインストールしてみましょう。次ページでBingの使い方を説明します。

COLUMN

ChatGPTとどう違うの?

BingとChatGPT Plusはどちらも「GPT-4」をもとに開発されたAIツールです。チャットで質問できるという形式は同じですが、何点か違いがあります。まず、ChatGPT Plusはテキストのみの返答に対し、Bingは画像や動画を使って回答できるということが挙げられます。ためしに生成したい画像のイメージをテキストで伝えてみましょう。なお、Bingで生成した文章や画像は商用利用できません。個人で楽しむ範囲で利用してください。ほかには、ChatGPT Plusでは外部サービスと連携できるプラグインが使用できる一方、Bingではまだ対応していない、という違いもあります。

Bingを使ってみよう

1

Microsoft Edgeなどで「Microsoft Bing（https://www.bing.com/）」にアクセスします。

2

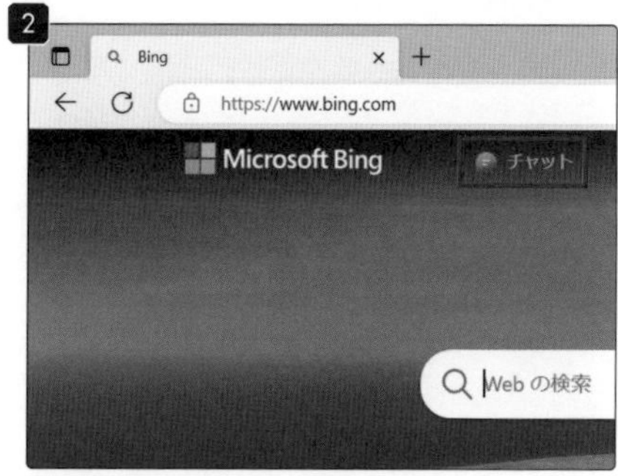

画面上部の<チャット>をクリックします。

3

Bingチャットの画面が表示されます。

4

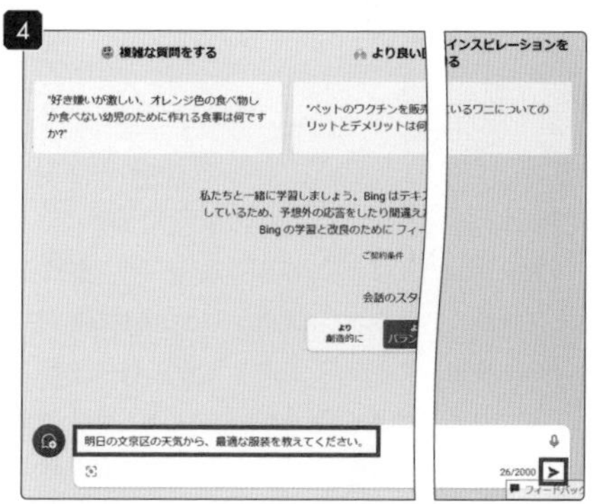

画面下部の入力欄に質問内容を入力し、➤をクリックします。

5

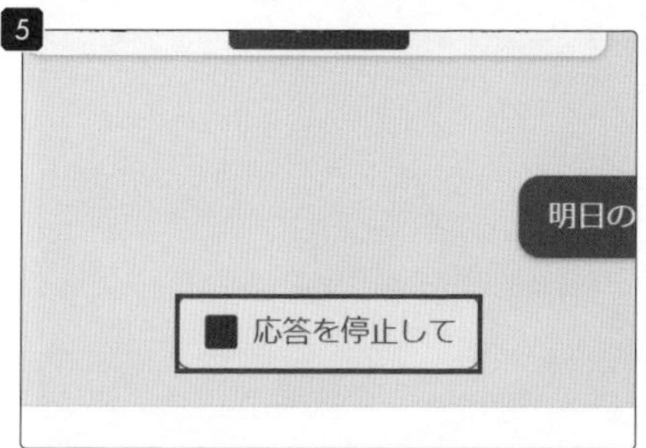

Bingからの回答を待ちます。回答の生成を停止したい場合は、<応答を停止して>をクリックします。

6

数秒待つと回答が生成されます。追加で質問したい場合は、画面下部の入力欄に入力します。

付録 そのほかの生成AIについて知ろう

7

<新しいトピック>をクリックすると、話題を切り替えることができます。

8

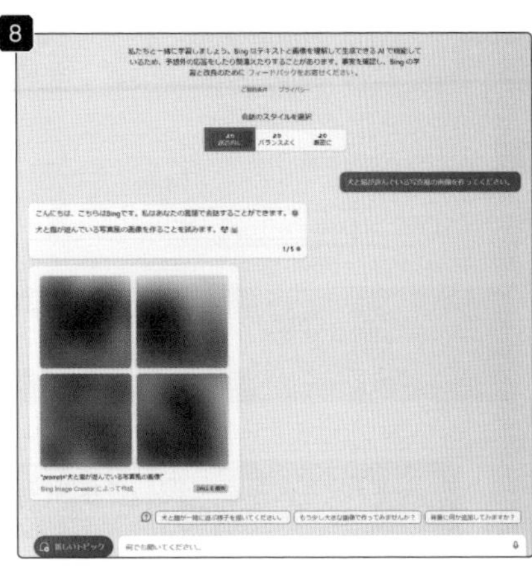

P.127手順❸の画面の「会話のスタイルを選択」から<より創造的に>をクリックして質問すると、画像の生成なども行えます。

COLUMN

Bing Image Creatorとは?

Microsoft社は2023年3月に、チャット形式で入力したテキストから画像を生成する「Bing Image Creator」を発表しました。OpenAI社の「DALL・E2」(Sec.54参照)が使用されていて、日本語にも対応しています。入力したテキストをもとに4つの画像が生成され、それぞれ保存、共有などが可能ですが、商用利用はできないため、個人で楽しむ範囲で使用しましょう。Bing Image Creatorは特設サイト(https://www.bing.com/create)にアクセスするだけで利用ができますが、画像の生成にはMicrosoftアカウントでのログインが必要です。アカウントがない場合は用意しておきましょう。

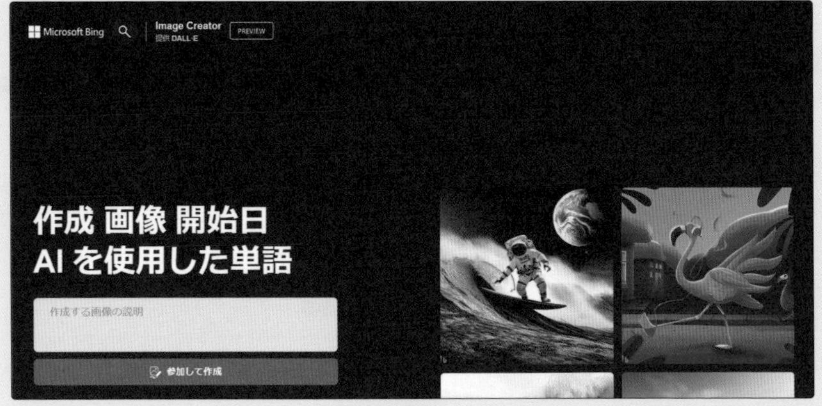

56 Microsoft 365 Copilotとは？

Microsoft 365とGPT-4などの生成系AIが統合されたものが「Microsoft 365 Copilot（コパイロット＝副操縦士）」です。提供予定のサービスを簡単に説明します。

Microsoft 365 Copilotで作業効率アップ

Microsoft社が提供しているサブスクリプションサービス、Microsoft 365に実装予定のAIツールが「Microsoft 365 Copilot」です。Bing同様OpenAI社の技術を搭載しており、WordやExcelの作業効率化が期待できます。サービスの一般提供開始日や料金体系などは2023年9月時点でまだ発表されていません。

Copilot in Excel

分析方法など入力すると、自動的にデータの分析や可視化を行ってくれます。

Copilot in PowerPoint

複数の資料からスライドを作成することができます。また、DALL・E2の画像生成機能によって、資料に適したカスタム画像を作ってもらうこともできます。

Copilot in Outlook

受信メールの整理、内容の要約などをしてくれます。過去のメールのやり取りから下書きを作成する機能もあります。

Copilot in Teams

チャット形式で指示を出すことで、ミーティング内容の要約や会議の進行をしてくれます。

57 Midjourneyとは?

テキストから高精度な画像を生成してくれるAIツールが「Midjourney」です。月額最低10ドルの使用料を支払うだけで、思いどおりの画像を生成できます。

生成精度が高いMidjourney

「Midjourney（ミッドジャーニー）」とは、2022年7月に公開された、入力されたテキスト内容から画像を作成するAIツールです。チャットアプリ「Discord（ディスコード）」を通じてテキストを入力します。Midjourneyの特徴としては、画像の精度がとても高いこと、インターフェースがシンプルでわかりやすいこと、などが挙げられます。

以前は、無料で利用できる「Free Trial」のプランが設けられていましたが、アクセスが集中したことから停止され、2023年9月の時点では有料プランのみの提供となっています。有料プランには「ベーシック」「スタンダード」「プロ」「メガ」の4つが設けられており、ベーシックプランの料金は月額10ドルです。スタンダードプランは月額30ドルで、このプラン以上になると、「Relax GPU」という、速度制限は付きますが、無制限に画像を生成できる機能が利用できます。プロプランは月額60ドル、メガプランは120ドルで、画像を生成する際に使用したプロンプトを非公開にできる「ステルスモード」が利用できます。また、有料プランを利用しているユーザーに限り、生成した画像の商用利用が可能です。ほかにも、一定の収入がある企業の場合は、プロプラン以上に加入する必要があるなどの規約もあります。商用利用の可能性がある場合は確認しておきましょう。

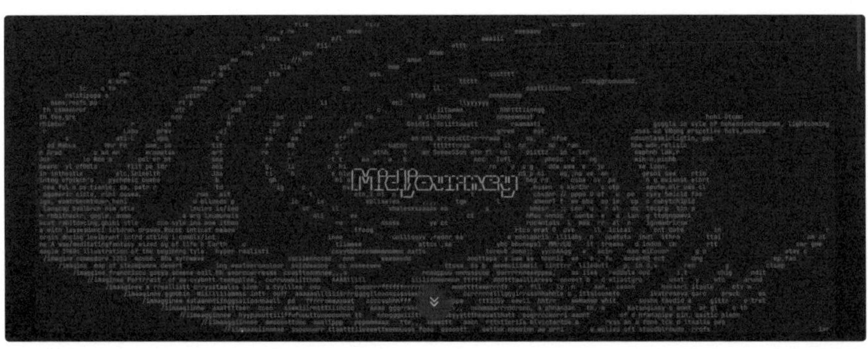

まずはDiscordをインストールしよう

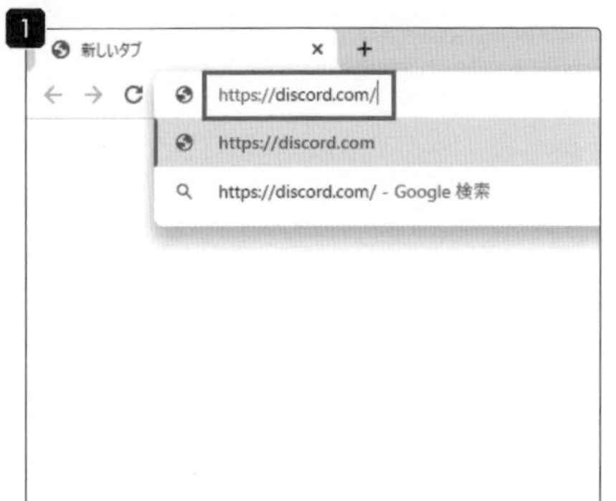

Webブラウザで「Discord(https://discord.com/)」にアクセスします。

<Windows版をダウンロード>をクリックします。

<DiscordSetup.exe>をクリックします。

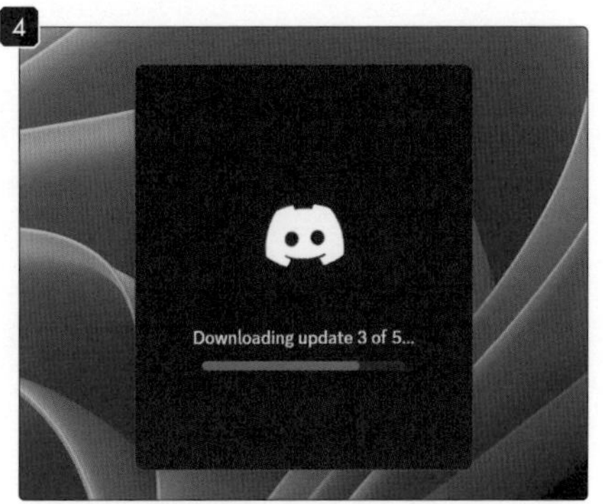

インストーラが起動し、Discordのインストールが始まります。

ログイン画面が表示されます。<登録>をクリックします。

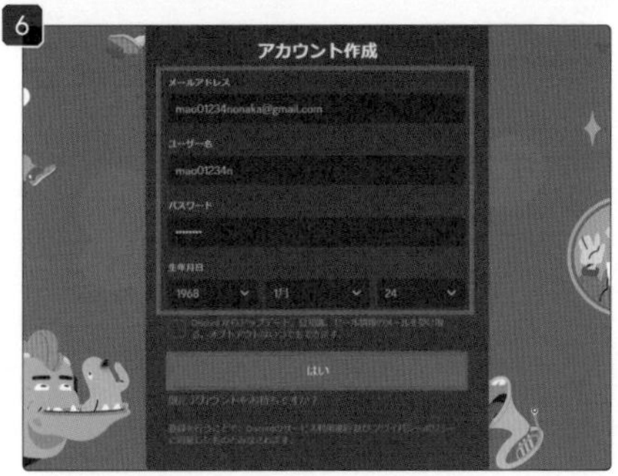

必要事項を入力し、<はい>をクリックします。

7

「私は人間です」にチェックを入れ、画面の指示に従って認証します。

8

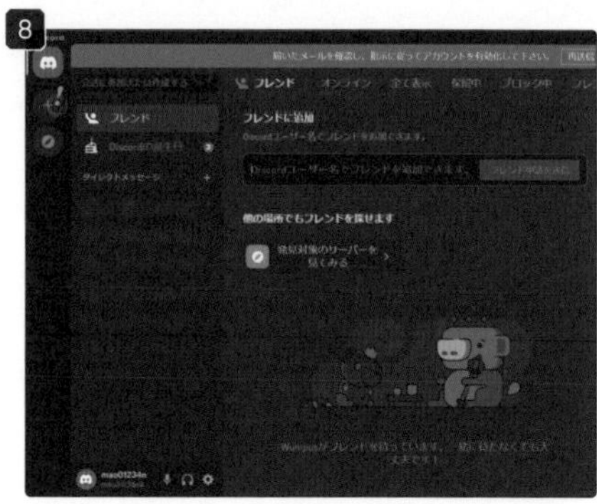

以上でアカウントの仮登録が完了します。

9

P.131手順❻で入力したアドレスに認証メールが届くので、メール内の<メールアドレスを認証する>をクリックします。

10

「メールが認証されました！」画面が表示されます。<Discordで開く>をクリックすると、Discordが起動します。

DiscordでMidjourneyに参加してみよう

1

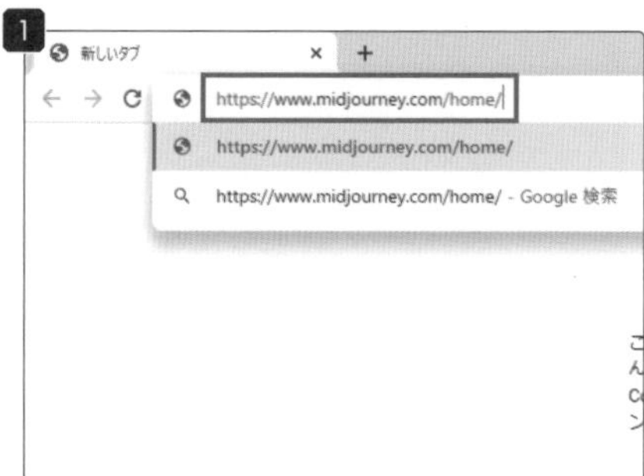

Webブラウザで「Midjourney（https://www.midjourney.com/home/）」にアクセスします。

2

<Join the Beta>をクリックします。

3

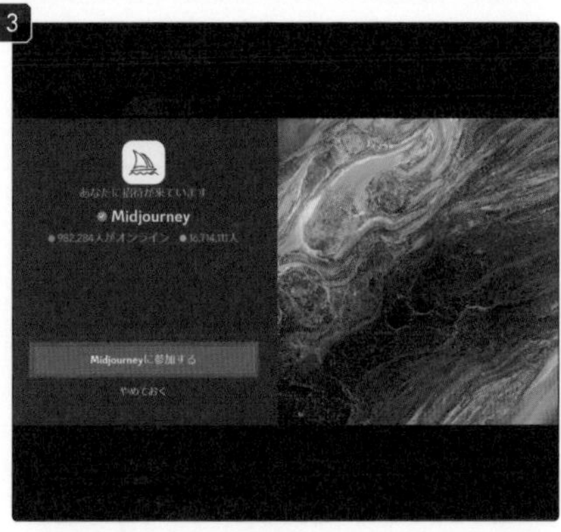

<Midjourneyに参加する>をクリックします。

4

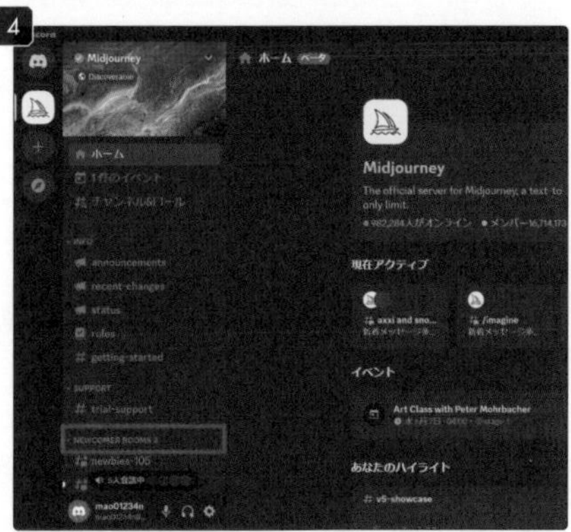

Discord画面が表示されます。サイドメニューの<NEWCOMER ROOMS>をクリックします。

5

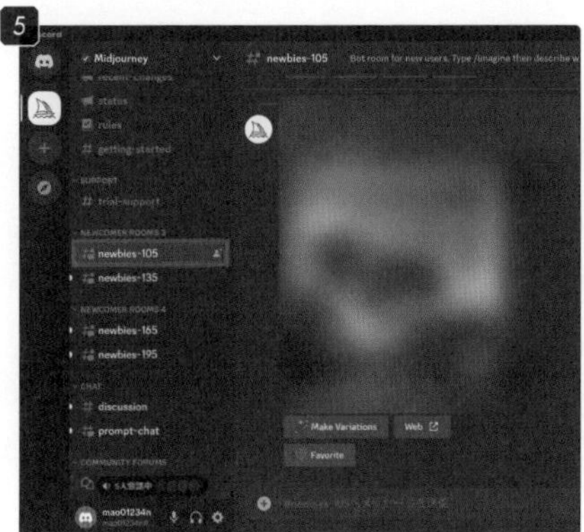

<newbies-○○>→<Start Onboarding>の順にクリックします。

6

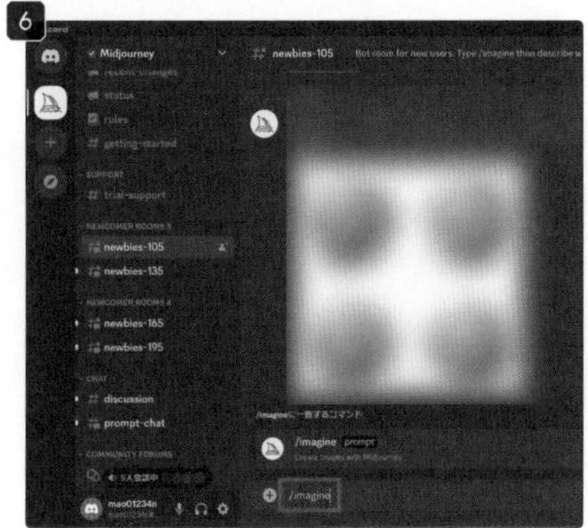

チャットルームが表示されます。有料プランに加入して入力欄で「/imagine prompt」に続けてテキストを入力し、Enterを押すと画像が4パターン生成されます。

COLUMN

Midjourneyの有料プランに加入する方法

上記手順5の画面で、入力欄に「/subscribe」と入力しEnterを押すと、「Midjourney Bot」から返信が送られてきます。返信されたメッセージ内の<Open subscription page>をクリックすると、有料プランを購入できるホームページが表示されます。加入したいプランの<Subscribe>をクリックし、次いで画面の指示に従って支払い方法などを登録します。

58 Stable Diffusionとは?

「Stable Diffusion」は、テキストを入力することでイラストを生成できるAIツールです。無料で使えるというのがポイントで、画像生成をためしてみたい方におすすめです。

気軽に生成できるStable Diffusion

「Stable Diffusion（ステイブル・ディフュージョン）」とは、2022年にStability AI社によって開発された、入力されたテキストをもとに画像を作ってくれる生成系AIです。英単語でプロンプトを入力することで、その内容をもとにイラストが生成されます。Stable Diffusionはオープンソースであるため、料金などを支払う必要がなく、気軽に画像の生成を楽しむことができます。

Stable Diffusionを使用してみたい場合は、Web上に公開されている「Dream Studio」「Hugging Face」「Mage」のいずれかを活用すると簡単に画像を生成できます。ローカル環境やGoogle Colaboratoryで使用したい場合は、GitHubで公開されているコードを確認してください。

なお、Stable Diffusionは商用利用ができますが、機能によっては不可としているケースもあるので注意が必要です。Stable Diffusionの商用利用のポイントについてはP.137COLUMNを参照してください。

COLUMN

DreamStudioとは?

「DreamStudio (https://dreamstudio.ai/)」とは、2022年8月、Stability AI社によって「Stable Diffusion」のオープンベータ版として公開されたサービスです。テキストを入力すると、その内容をもとに画像を生成できます。画像は商用利用できますが、使用している機能によってはできないケースもあります。DreamStudioの商用利用についてもP.137COLUMNを参照してください。

まずはDreamStudioにログインしよう

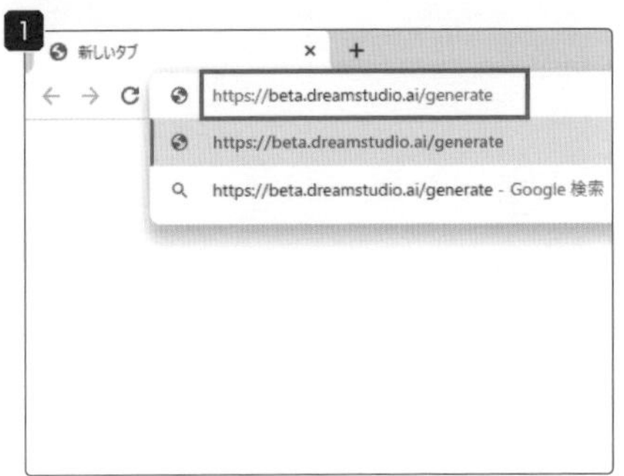

Webブラウザで「DreamStudio（https://beta.dreamstudio.ai/generate）」にアクセスします。

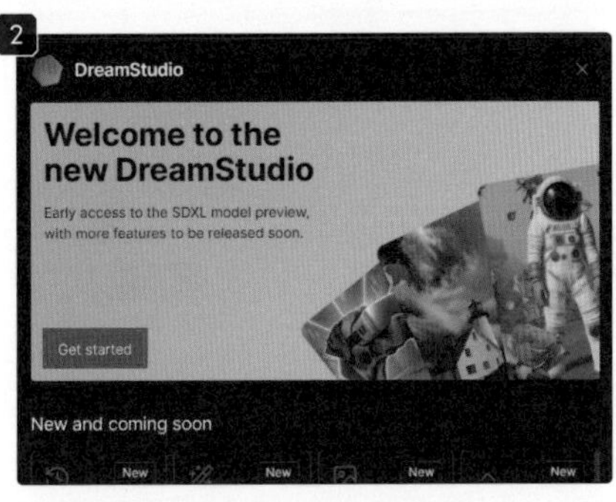

<Get started>をクリックします。

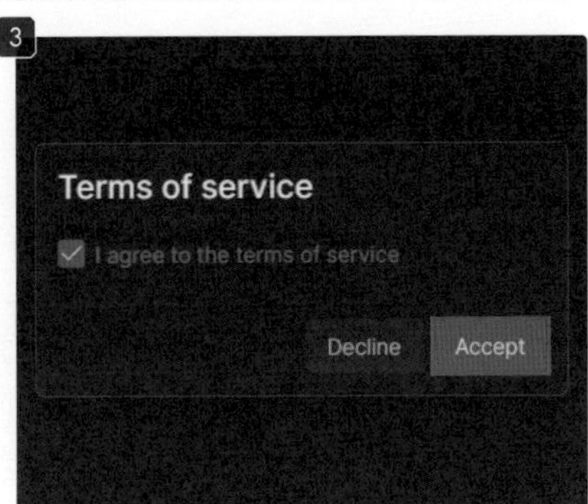

<Accept>をクリックします。

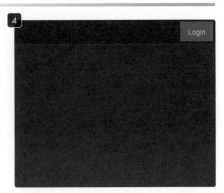

<Login>をクリックします。

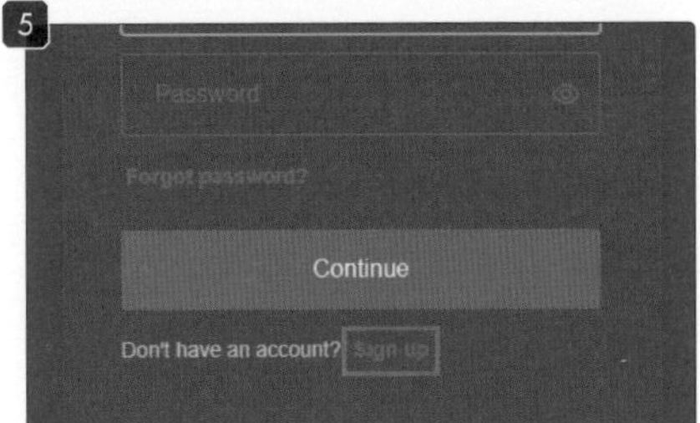

<Sign up>をクリックします。

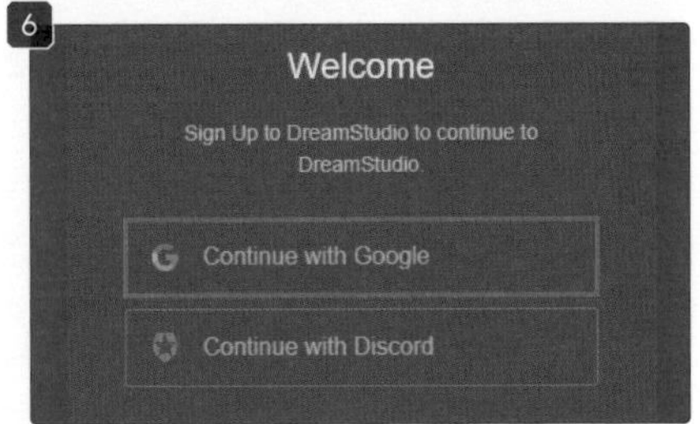

Googleアカウント、Discordアカウント、メールアドレスの入力のいずれかの方法でサインアップします。ここでは<Continue with Google>をクリックします。

7

メールアドレスを入力し、<次へ>をクリックします。次の画面でパスワードを入力して<次へ>をクリックします。

8

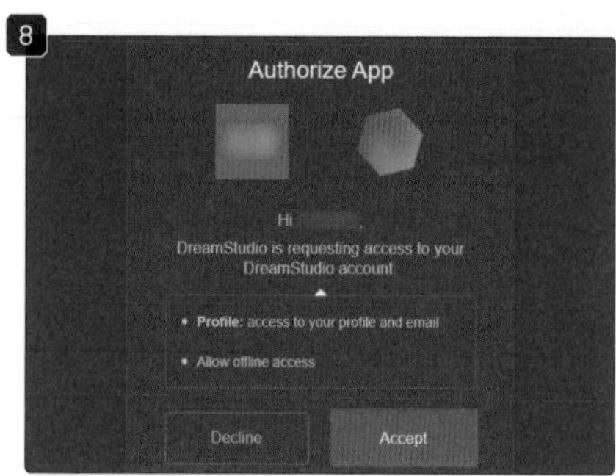

<Accept>をクリックすると、DreamStudioの画面が表示されます。

DreamStudioでStable Diffusionを使ってみよう

1

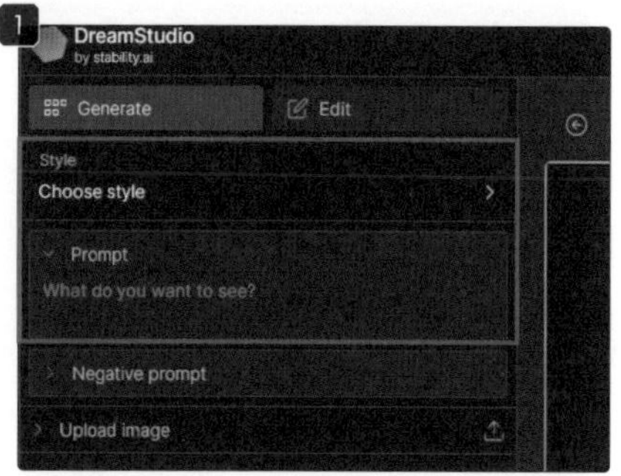

「Style」でイラストのテイストを選択し、DreamStudio画面左側の「Prompt」にテキストを入力します。

2

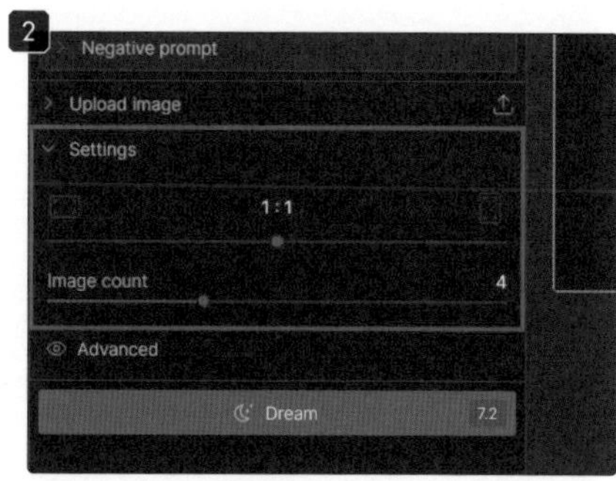

「Settings」では画像のアスペクト比や生成する画像の枚数を変更できます。「Advanced」からより詳細な設定も可能です。

3

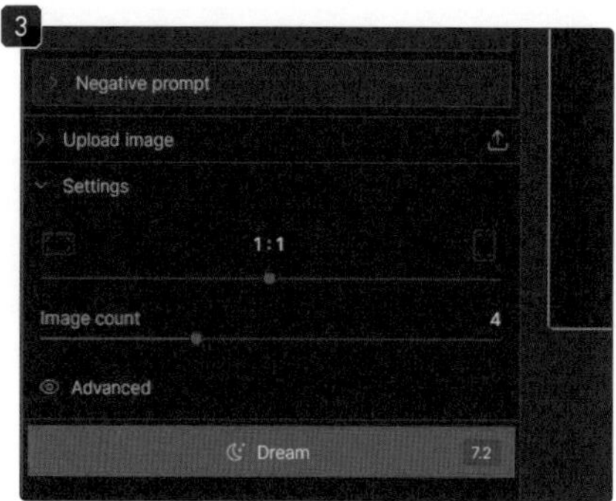

<Dream>をクリックします。

4

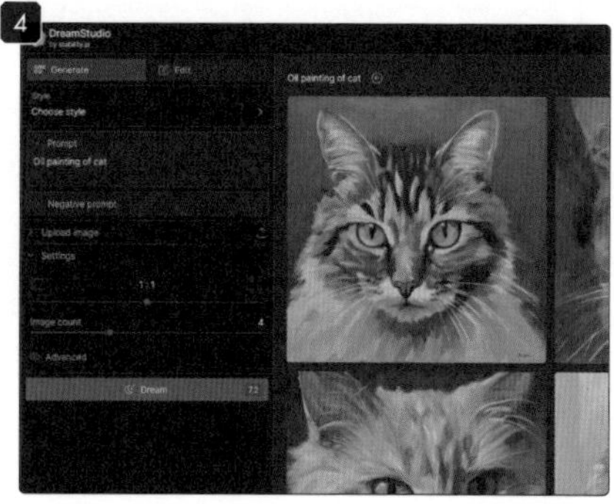

イラストが生成され、右側に表示されます。

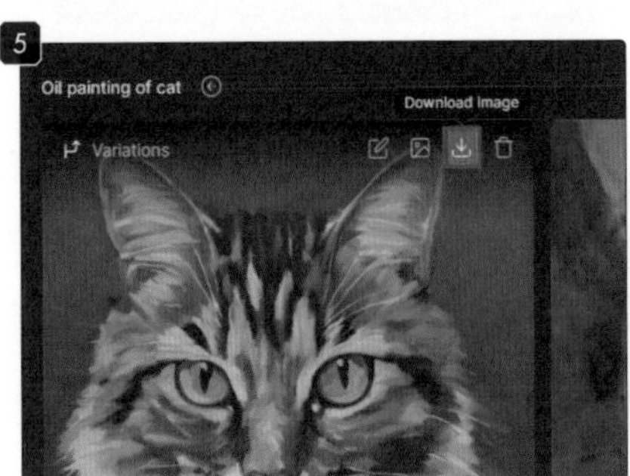

保存したい画像にマウスポインターを合わせ、をクリックします。

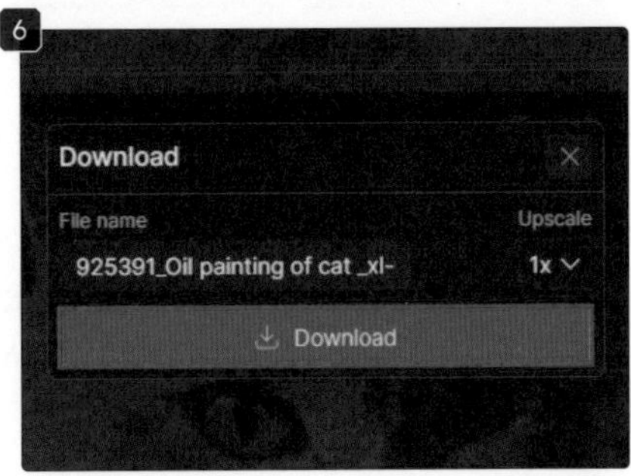

<Download>をクリックすると、画像が保存されます。

画像を削除したい場合は、をクリックします。

をクリックすると、画像が削除されます。

COLUMN

Stable DiffusionとDreamStudioで生成された画像の著作権

Stability AI社は生成された画像の著作権について、「CC0 1.0 Universal (CC0 1.0) Public Domain Dedication」になると発表しています。パブリックドメイン（著作権が発生していない、誰でも利用できる状態のこと）であるため、Stable DiffusionとDreamStudioで生成した画像は基本的に商用利用が可能です。しかし、「Img2ingを行ったイラスト」と「モデルに追加学習させたイラスト」の商用利用はできず、場合によっては著作権侵害にあたる可能性もあります。Img2ingは画像を読み込ませて新たに生成する機能で、もとの画像の別パターンを生成したり、一部を修正したりできます。そのため、もとの画像の制作者から著作権侵害を訴えられるおそれがあるのです。商用利用が目的の場合は、もとの画像の利用規約などを必ず確認しましょう。追加学習とは、モデルとなる多くの画像データを増やしていくことによって特定のテイストやジャンルのイラストを生成できる機能です。モデルとなったもとの画像の利用規約に違反している場合も、著作権侵害にあたる可能性があります。生成前にモデルの商用利用の有無を確認してから使いましょう。

59 そのほかの生成系AI

イラストに特化した生成系AIや、背景画に特化した生成系AIなど、画像を作るというだけでも、さまざまなAIツールが登場しています。目的に合わせて使い分けてみましょう。

アニメのようなイラストが生成できる：Novel AI

Anlatan社が発表し、2022年10月に画像生成機能が実装されたAIツールが「Novel AI（https://novelai.net/)」です。アニメや漫画のようなイラストの生成を得意としています。Novel AI内には「Anlas」という独自通貨があり、これを使って画像を生成します。基本的には1枚あたり5Anlasで生成可能ですが、画像のサイズや解像度を変更する場合は必要なAnlasが増えていきます。

Novel AIには無料で利用できる「Free Trial」というプランもありますが、小説のみの対応で、画像の生成はできません。画像を生成したい場合には有料のサブスクリプション登録が必要です。

有料プランには「Tablet」「Scroll」「Opus」があります。Tabletプランの料金は月額10ドルで、月に約200枚の画像を生成できます。Scrollプランの料金は月額15ドルで、月に約200枚の画像を生成できます。Tabletプランとの違いはメモリの容量が若干増える点です。Opusプランの料金は月額25ドルで、月に約2,000枚のイラストを生成できます。

ハイクオリティの背景画を生成できる：Holara

「Holara（https://holara.ai/）」とは2022年12月にサービスを開始した、比較的新しい、画像を生成するAIツールです。「Stable Diffusion 1.5」をベースとしたAIで、高精度な背景画やイラストを作れることで話題となっています。Holaraを利用するにはDiscordのアカウントか、メールアドレスの登録が必要です。HolaraではNovel AIと同様に独自通貨の「Hologems」を使うことでイラストを仕上げられます。基本的には5Hologemsで生成できますが、サイズを大きくするなどの変更を加えると必要となるHologemsの値段が上がります。

プランには無料のものと月額10ドルまたは月額25ドルの有料のものが用意されています。

無料プランでは登録時に200Hologemsをもらえます。以降は毎日、ログイン時に25Hologemsずつ獲得できます。しかし、入力するテキストが指定できず、画像のランダム生成しか利用できないといった制限があります。月額10ドルのプランでは、5,000Hologemsと毎日のログイン時にもらえる100Hologemsを利用できます。月に生成できる画像の枚数は約2,000枚です。月額25ドルのプランでは、20,000Hologemsと毎日のログイン時にもらえる300Hologemsを利用できます。月に生成できる画像の枚数は約7,250枚です。

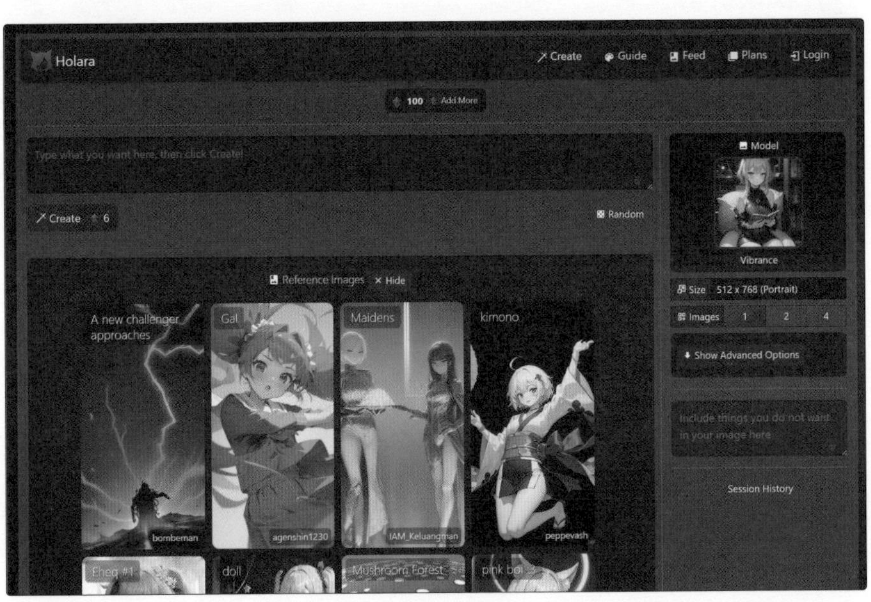

Adobe社が開発するAI：Adobe Firefly

2023年9月に正式リリースされたAdobe社の生成AIが「Adobe Firefly（https://firefly.adobe.com/)」です。Adobeのアカウントを持っていれば、誰でも無料で画像の生成などをためすことができます。

Fireflyで生成される画像はすべて、著作権フリーの「Adobe Stock」をもとに生成されているため、著作権侵害にあたることがなく、安心して商用利用できます。現時点のFireflyは、テキストから画像の生成やエフェクトを加えた文字（ロゴ）の生成、ベクターアートのカラーバリエーションの生成（生成再配色）などの機能が公開されています。また、Photoshopには、生成塗りつぶし機能、Illustratorには、生成再配色機能が搭載されています。Fireflyは生成の度にクレジットを消費するしくみです。たとえば無料アカウントの場合は月25クレジットが付与されるので、月最大25回まで画像の生成などができることになります。なお、月額680円のプレミアプランに加入すると月100クレジット、Adobe社の全ツールが利用できるCreative Cloudコンプリートプランのユーザーであれば月1,000クレジットが付与されます。

Adobe社は将来的に、入力されたテキストをもとにビデオ編集する機能や3Dモデルを生成・編集する機能なども追加する予定だと公表しています。

テキストから音楽を生成できる：Mubert

「Mubert（https://mubert.com/）」は、入力したテキストから音楽を生成できるAIツールです。1曲あたり約10秒ほどで作曲してくれます。

プランには無料のものと有料の「Creator」「Pro」「Business」プランが用意されています。無料プランでは、月に生成できるトラック数が25までで、オーディオウォーターマーク（透かし音）が入るなどといった制限があります。Creatorプランは月額14ドルで、ロスレス品質の曲を月あたり最大500トラック生成できるといった利点があります。Proプラン以上になると、生成した曲を商用利用することができます。Proプランは、月額39ドルで月あたり最大500トラック生成できますが、商用利用できる範囲に制限があります。Businessプランは、月額199ドルと価格が上がりますが、月あたり最大1,000トラックを生成できたり、商用利用できる範囲が広がったりします。ただし、どのプランでも生成した楽曲の配信が禁止されているなど、すべての商用利用が可能というわけではないので規約を必ず確認しましょう。

なお、MubertはPythonで動かすことができます。利用方法には、ローカル環境か、Google Colaboratoryで動作させる2つのパターンがあります。自分が利用しやすい方法で活用しましょう。

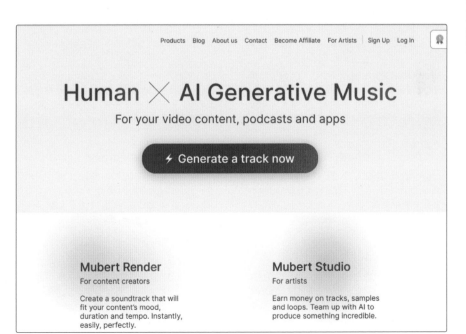

用語集

ここでは、ChatGPTに関するものを中心に、本書に登場する専門用語を紹介します。

AI

Artificial Intelligence（人工知能）の略。人間の知能をコンピュータに再現させる技術。1956年のダートマス会議で米の科学者、ジョン・マッカーシーによってはじめて提案された。

AIチャット

AIの技術を使用してリアルタイムの対話ができるチャット。「ChatGPT」、「Bing AI」、「AIチャットくん」など、さまざまなサービスやアプリがユーザーに提供されている。

API

Application Programming Interfaceの略。プログラムを外部のシステムに組み込むためのインターフェース。連携させるには専用のAPIキーが必要となる。

Bing

Windows搭載のWebブラウザ「Edge」に採用されている、Microsoft社提供の検索エンジン。2023年の「Bing チャット」の導入により、「GPT-4」が利用できるようになった。

ChatGPT

OpenAI社が開発し、2022年11月に公開されたAIチャットサービス。自然言語処理の高度な技術を活用することで、人間同士がコミュニケーションしているような対話を実現している。

ChatGPT plugins

「ChatGPT」のプラグイン機能。有料プランの「ChatGPT Plus」ユーザーであれば、「Code Interpreter」と「Plugins」を利用でき、機能拡張が行える。

ChatGPT Plus

「ChatGPT」の有料版。無料版で使われている言語モデルGPT-3.5の最新版であるGPT-4を利用できるほか、スムーズな接続、すばやい応答、新機能への優先アクセスなどが特徴。

DALL·E2

OpenAI社が開発し、2022年4月に公開されたAIツール。入力されたテキストから画像やイメージを生成することができ、そのクリエイティブ性の高さで注目されている。

DreamStudio

Stability AI社が2022年8月に「Stable Diffusion」のオープンベータ版として公開したAIツール。入力されたテキストから画像を生成できるのが特徴。

GPT

Generative Pre-trained Transformerの略。OpenAI社が2018年に発表した大規模言語モデル。入力されたテキストの内容を理解し、文章を生成する技術。

Midjourney

Midjourney社が2022年7月に公開したAIツール。Discord社開発のチャットアプリ「Discord」を通じて、入力されたテキストをもとに画像を生成してくれる。

OpenAI（社）

人工知能の研究・開発を行うアメリカの組織。サム・アルトマン、イーロン・マスク、ピーター・ティールといった著名な技術者や投資家が中心となり、2015年に設立された。

Stable Diffusion

Stability AI社が開発し、2022年に公開したAIツール。入力されたテキストをたよりに画像を生成する。オープンソースのため、Webブラウザ上で気軽にためすことができる。

Whisper

OpenAI社が開発し、2022年9月に発表された文字起こしサービス。日本語を含む99言語の音声データで学習しているため、非常に高い精度での音声認識が可能となっている。

画像生成AI

「Midjourney」や「Stable Diffusion」など、入力したテキストをもとに画像を生成するAIの総称。SNSなどで「AIが描いたイラスト」として話題を呼んでいる。

機械学習

コンピュータに大量のデータを学習させて分析し、パターンや関係性、規則性を抽出してタスクを実行する能力を持たせる手法。「教師あり学習」「教師なし学習」などの種類がある。

強化学習

機械学習の1つで、コンピュータやAIが自ら学習する手法。このプロセスをAIに用いることで、精度の高い回答やより自然な対話システムの設計に役立っている。

自然言語

日本語や英語などといった、人間同士が日常的にコミュニケーションをとるために発展した言葉（言語）。人工的なコンピュータ言語とは対のような意味で使われることもある。

自然言語処理

自然言語をコンピュータに解析させて処理をする技術。これを行うことで、AIが人間と自然な言葉使いで対話することが可能となり、さまざまなサービスで活用されている。

深層学習

機械学習の1つで、ニューラルネットワークという多層の特別な数学モデルによる手法（ディープラーニング）。人間の脳を模倣した構造を持ち、「ChatGPT」にも利用されている。

生成系AI

「ChatGPT」のような文章を生成するAI、「Midjourney」や「Stable Diffusion」のような画像を生成するAIなど、新しいコンテンツやアイデアを作り出すAIの総称。

チャットボット

質問に対して自動で返答する会話プログラム。事前に作成されたシナリオに沿った質問への回答のみを行うAI非搭載のものもあれば、「ChatGPT」のようなAI搭載のものもある。

トークン

文脈理解や応答の生成に使用される情報の単位。「ChatGPT」では、入力されたテキストを数千または数万に分割したトークン単位で処理し、それに基づいて回答を導き出す。

プロンプト

機械学習モデルに対して与えられる指示。「ChatGPT」では質問文、命令文などの入力テキストにあたる。具体的で明確な指示（プロンプト）を与えることで、より正確な回答を得られる。

文章生成AI

「ChatGPT」など、入力したテキストをもとに文章を生成するAI。機械学習や自然言語処理の技術を用いて大量のデータを学習し、それに基づいて人間のような文章を生み出す。

マルチモーダル

複数の異なるモード（テキスト、画像、動画、音声など）を組み合わせて情報を処理・表現する際に用いられる技術。対して1つのモードのみ処理する技術をシングルモーダルという。

まるわかり!

【チャットジーピーティー】

ChatGPT

最強活用術&超仕事術

2023年10月29日初版発行

著者　ChatGPT 特命研究班

発行人　杉原葉子

発行　株式会社電波社
〒154-0002
東京都世田谷区下馬6-15-4
TEL:03-3418-4620
FAX:03-3421-7170
振替口座 :00130-8-76758
https://www.rc-tech.co.jp/

印刷・製本　株式会社光邦
ISBN 978-4-86490-243-4 C0004

お電話・封書でのお問い合わせは受け付けておりません。
本書に関することはEメール（edit1@cosmicpub.jp）にて
お願いいたします。
その際、ご購入のタイトルをご記入の上お問い合わせください。
なお、本書の記述範囲を超えるご質問については
お答えいたしかねますので、あらかじめご了承ください。

【STAFF】
執筆・編集・DTP　ChatGPT 特命研究班
編集　渡邊 昱
カバー／本文デザイン　伊藤 清夏